KB081169

이시바시 다케후미(石橋毅史)
출판·서점 전문 저널리스트.
1970년 도쿄 출생. 니혼대학교 예술학부를 졸업한 뒤
유히샤출판사에서 일했다. 이후 신문화통신사에 입사해
출판 전문 주간지인 『신분카』(新文化) 기자로 일하다가
편집장으로 퇴사, 2009년부터 출판 분야 저널리스트로
활동하고 있다. 『서점은 죽지 않는다』 『책을 직거래로 판다』
『시바타 신의 마지막 수업』 등을 썼다.

박선형
일본 호세이대학교 문학부 일본문학과를 졸업하고
와세대대학교 대학원 문학연구과 석사과정을 수료했다.
동시통역가, 출판편집자로 일하다가 현재는 좋은 번역서와
해외출판물을 소개하는 동네책방 '번역가의 서재'를 운영하며
전문 번역가로 활동하고 있다. 옮긴 책으로 『사치스러운 고독의 맛』
『좋아하는 마을에 볼일이 있습니다』 『다시 버리기로 마음먹었다』
『사람이 너무 어려운 나에게』 『내가 좋아하는 것과 단순하게 살기』
『지금 행복해지는 연습』 등이 있다.
인스타그램 @tlbseoul

서점은 왜 계속 생길까

책방의 존재 이유를
찾아 떠나는 여행

서점은 왜 계속 생길까

이시바시 다케후미 지음
박선형 옮김

들어가는 말

마을에 책방이 계속 생기는 이유

책방 이야기를 담은 책을 지금까지 여러 권 출간했다. 나는 '책방'이라는 단어를 '서점'과 구별해 사용한다. '서점'은 도서나 잡지를 파는 소매점을, '책방'은 그러한 도서나 잡지를 판매하는 곳 또는 그 일을 생업으로 삼고 있는 사람, 즉 '책방지기'를 함께 일컫는 호칭으로 삼고 있다.

본디 책방을 일본 한자로 '本屋'이라고 표기하는데, '屋'이라는 한자는 한 사람이 애초에 지니고 태어난 기질을 나타내는 경우가 많다. 예컨대 '수줍음 타는 사람'照れ屋, '노력파'頑張り屋, '외로움 타는 사람'寂しがり屋, '부끄럼쟁이'恥ずかしがり屋라는 단어에서와 마찬가지로, 나는 '本屋'라는 단어를 '책방을 하는 사람', '책방지기'와 같은 뜻으로 해석하곤 한다. 사실 이것은 스스로 터득한 해석은 아니다. 일본 전역의 서점 순방을 시작할 무렵 돗토리鳥取시의 데이유도서점定有堂書店의 주인에게 들었던 말로, 그로부터 책방 주인이나 서점인에 대해 이야기할 때 키워드로 사용하게 되었다.

책방에 대한 이야기를 엮은 나의 책은 일본에서 출간되고 머지않아 한국과 타이완에서도 번역서로 출간되었다. 일본의 책은 장르 불문하고 동아시아의 여러 나라에서 두루 번역되고 있지만, 책방에 대한 사적인 보고를 다룬 책이 번역서로 출간되리라고는 상상해 보지 않아서 말 그대로 뜻밖의 기쁨이었다. 그러면서 동시에 불안하기도 했다. 키워드로 쓰인 '책방지기'의 해석, 한자 '屋'의 뜻이 한글이나 중국어 번체로 제대로 전달이 될지 걱정되었다. 예상대로 한국어 번역을 맡은 번역가로부터 내가 말하는 '屋'에 해당하는 말을 한국어로 표현하기 힘들다는 말을 들었다. 또 처음 쓴 책 제목에서 『'本屋'は死なない』라고 '책방'을 강조한 시도를 했음에도 한국에서는 『서점은 죽지 않는다』, 타이완에서는 『서점불사』書店不死라는 심플하고 직관적인 제목으로 바뀌어 번역서가 출간되었다.

어쨌거나 번역서 출간이 인연이 되어 한국과 타이완의 '책방'을 직접 방문할 기회가 생겼다. 그중 몇몇 책방에서는 내가 쓴 책의 번역서를 읽어 준 사람들도 만날 수 있어서 감상을 물어봤더니, '책방지기'라는 말이 충분히 번역되지 않은 점에는 별로 신경 쓰지 않는 눈치였다. 그들은 일본의 '책방 이야기'를 자신들의 입장에 투영하면서 어떤 의미로는 저자인 나보다 훨씬 깊이 있게 받아들이고 있었다. 어쩌면 당연한 감상인지도 모르겠다. '책방지기'를 둘러싼 상황이 어느 나라나 비슷하게 닮아 있으니까 말이다.

정보산업을 주도하는 인터넷의 영향으로 지하철을 타면 대부분의 사람들이 스마트폰을 들여다보고 있다. 종이책은 미디어로서는 낡고 무거운 물건이 되어 버린 채 수요가 줄어들어 국내 서점의 수도 점차 감소하는 추세다. 이것이 각 나라마다 공통된 문제로 여겨지는데, 주목하고 싶은 점은 그럼에도 책방을 여는 사람들이 끊이지 않는다는 사실이다. 일본과 마찬가지로 소액의 창업 자금으로 작은 책방을 여는 사람들이나 서점에서 서점인의 일을 맡아 하는 사람들이 있다. 그들은 타성이나 추억의 감성에 젖어 책을 대하는 것이 아니라, 자신의 행위가 사회적인 의의를 가진다고 보고, 과거와 미래를 잇는 역할을 한다는 것을 이론이 아닌 직감으로 느낀다.

이웃 나라 책방에 대해 쓰면서, 그들이 일본 책방에 대해 배우고 공감하는 것처럼 나도 그들의 기술과 이야기를 일본 독자에게 전달하고 싶다고 생각했다. 비슷한 환경이어서 공유할 수 있는 이야기가 무궁무진했다. 그런데 닮아 있다는 발견으로부터 시작된 관심은 점차 닮아 있지 않은 부분으로 확장되었다.

한국이나 타이완 그리고 홍콩에는 정치적·사회적인 메시지를 적극적으로 전달하는 책방이 적지 않다. 그들은 언론과 표현의 자유를 지키는 역할을 맡고 있음을 자각하고 있었다. 일본의 서점은 이러한 문제를 그다지 공공연하게 어필하지 않는다. 이를 두고 좋다고도 나쁘다고도 할 수 없을 것 같다. 사상이나 신조를 분명하게 표현하지 않는 일본 사회의 특성이라고도 할 수 있고, 언론과 표현의 자유가 확보된 상태에 길들여졌기 때문일 수도 있다.

한국과 타이완은 1980년대 후반까지 언론·표현·보도의 자유가 없었다. 정부가 직접 관할하는 기관의 검열을 받지 않으면 출간을 할 수 없었던 시절로부터 겨우 30년밖에 지나지 않았다. 일본의 경우는 1945년 패전으로부터 2년 후 일본 헌법이 시행된 때를 시작으로 본다면 70년 남짓이란 세월이 흐른 셈이 된다. 이 세월의 차이를 무시할 수 없는 것이, 한국과 타이완에서는 개인이 마음껏 자유롭게 발언할 수 없었던 시대를 지금까지도 생생하게 기억하는 세대가 주를 이룬다. 그리고 홍콩은 지금 이 순간에도 그 자유를 유지할 수 있을지 없을지의 문제에 직면하고 있다.

물론 동아시아의 모든 서점이 정치적·사회적인 메시지를 전파하고 있는 것은 아니다. 예를 들어, 서울의 어느 세련된 북카페에서는 이를 전혀 느낄 수 없을 것이다. 그렇다고 해도 이러한 문제에 대해 아무런 생각 없이 서점을 운영하는 사람은 없을 것이다.

요즘 여기저기서 '스마트폰 중독'이 심각하다고들 하는데 어째서 책방은 계속 생기는 것일까? 사람들을 책방으로 끌어들이는 매력은 무엇일까? 우리의 삶에 책방이 반드시 필요하다면 그 이유는 과연 무엇일까? 이러한 궁금증이 바로 내가 책방에 대한 이야기를 이어 가고 있는 이유이자 동기다. 일본이라는 국경을 넘어 동아시아 책방들의 이야기를 모으면서 그 답을 찾고 싶다.

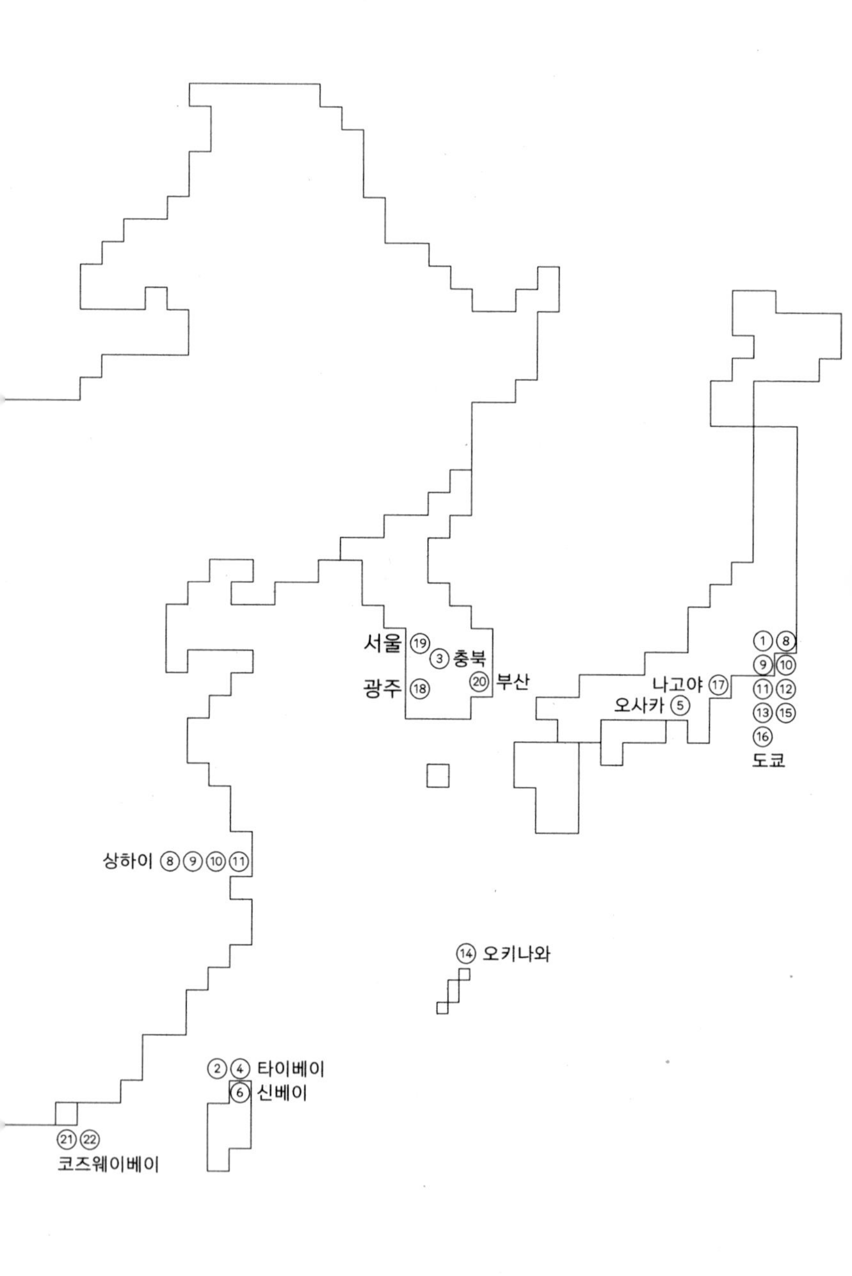

서울 ⑲
③ 충북
광주 ⑱
⑳ 부산
나고야 ⑰
오사카 ⑤
① ⑧
⑨ ⑩
⑪ ⑫
⑬ ⑮
⑯
도쿄
상하이 ⑧ ⑨ ⑩ ⑪
⑭ 오키나와
② ④ 타이베이
⑥ 신베이
㉑ ㉒
코즈웨이베이

①

각자의 책방에서 가능한 것

도쿄 · 책거리

내가 처음 한국을 방문한 것은 2002년 초였다. 5월에 월드컵이 개최되던 해였고, 이듬해에는 일본에 한류 드라마 붐을 일으킨 「겨울연가」가 일본에서 처음 방송된다. 둘 다 나와는 관계없지만, 이 무렵 나는 출판업계 전문지 기자를 맡고 있어서 서울의 출판사와 서점 등을 취재하러 다녔다.

당시 한국 출판계는 도서정가제(일본의 재판가격유지제도)가 사실상 폐지되어 파격적인 할인을 내세워 소비자에게 어필하는 온라인 서점 '예스24', '모닝365' 등이 급성장하고 있었다. 일본에서도 재판가격유지제도의 존폐를 두고 수십 년 동안 논의가 이어지고 있었고, 2001년 3월에 '당분간은 유지'라는 결론에 이르렀다. 하지만 2000년 11월에 미국 아마존이 일본 법인 아마존 재팬의 온라인 판매 사이트를 오픈하는 등 도서 유통이나 판매 방법이 크게 변화하는 분위기가 팽배해졌다. 이런 상황에서 한국 출판계의 현상이 일본에도 많은 참고가 된다는 주제의 기사를 썼다. 이 무렵 취재 섭외부터 당일 길 안내와 통역까지 맡아 준 사람이 '지식여행'이라는 출판사를 경영하고 있던 윤희육 씨였다.

그와는 그 후로도 일본이나 한국에서 종종 만났다. 지식여행은 일본 번역서를 주로 출간하는 출판사여서 일본 출판업계에 대한 정보를 항상 필요로 했다. 나 역시 이웃나라의 출판 정보를 배울 기회가 되어 좋았다. 서울에 있는 그의 집에서 묵기도 하고 중국 베이징을 함께 여행하기도 하면서 그와 나는 개인적인 시간도 공유하는 친구가 되었다. 다만 의사소통은 무조건 일본어였다. 그가 일본어에 능통하다는 핑계로 나는 좀처럼 한국어를 공부하려 하지 않았다.

그러한 이유로 그다지 고생한 적도 당황한 적도 없이 자연스럽게 한국에 친숙해졌다. 그를 통해 출판뿐 아니라 다양한 직업의 한국인을 만나게 되고, 그들의 생활을 가까이에서 봐 왔던 탓일까? 일본의 매스컴에서 소개하는 한국을 보면 위화감을 느끼기도 하고, 때로는 오히려 신선함마저 느꼈다. K-POP이나 한류 드라마 등 특정 분야에 빠져들어 한국을 알게 된 사람도 나와 같은 경험을 했을지도 모르겠다.

도쿄 진보초神保町에는 한국인이 운영하는 '책거리'라는 이름의 북카페가 있다. 따뜻한 색깔의 매대와 테이블을 배치한 밝은 느낌의 매장에는 한글로 된 한국 출판물과 일본 출판물이 섞여 있다. 한일 문제 등을 다룬 전문서, 2000년대 이후 현대 한국 작가 소설, 한국어 교재, 여행 가이드북, 그림책, 만화에 이르기까지 비치한 장르가 다양한 편이다. 다양한 종류의 한국 전통차와 막걸리 등 술도 있다. 물론 음료를 주문하지 않고 책의 큐레이션을 구경하기만 해도 괜찮다. 직원은 일본인이 대부분이고, 모두 한국어를 습득해서 한국, 일본 어느 쪽의 손님도 대응할 수 있다. 친근한 성격과 친절함을 무기로 손님을 끌어들이는지, 언제 방문해도 항상 손님들로 북적인다. 한국 전문 서점은 일본 전역에서도 찾아보기 힘들 정도여서 멀리에서 방문하는 손님도 많다.

김승복 씨(책거리 서점).

이 서점의 사장 김승복 씨는 한국인 유학생으로 1991년 일본에 정착한 이후 줄곧 일본에서 생활해 왔다. 2007년에 출판사 '쿠온'을 설립하고, 책거리는 2015년 7월에 열었다. ONTOFF(온토프)라는 인터넷 관련 회사도 경영하는 등 실로 열정적인 사람이다. 도서 매입이나 거래처와의 상담 등을 위해 빈번하게 한국에 다녀서 자리를 지키는 날은 거의 없다. 그리고 서점에 있을 때는 손님 응대를 하느라 여념이 없다.

어느 날 그는 한 일본인 부부와 이야기를 하고 있었다. 부인의 노모가 스무 살 무렵 종전이 되기까지 북한에서 살았던 사람이어서, 당시 마을의 모습을 담아낸 책이 있다면 어머니에게 보여 주고 싶다며 상담을 하는 것이었다. "다음 주에도 한국에 가니까 찾아볼게요"라고 말하는 그의 모습에서 홀로 일본에 건너와 고군분투하며 활약하는 사업가보다는 여유롭게 일을 즐기는 사람의 모습을 엿볼 수 있었다.

책거리는 원래 쿠온이 발행하는 한국 책의 일본어 번역서를 소개할 목적으로 연 서점이라고 한다. 독자와 직접 교류할 수 있는 장을 마련해 음악, 영화, 드라마에 비해 일본 시장에 침투하기 어려웠던 한국 젊은 세대가 쓴 소설의 매력을 알리고 싶었으리라.

하지만 서점을 열고 시간이 흐르면서 자사의 책을 소개하고 파는 것만이 목적이 되지는 않았다고 한다.

"매일 여러 손님이 오세요. 방금 보셨던 손님처럼 책을 찾는 분도 많지만, 그 밖에 개인적인 상담이라든가 그냥 이야기를 들어주길 바라는 분도 오시고……. 이렇게 한 분 한 분 응대하다 보면 하루가 훌쩍 지나가죠. 대단히 특별한 일이 일어나지는 않지만 평범한 매일이 이어지고, 이게 책방다운 모습이지, 하면서 재미있다고 느끼게 되었어요."

책거리는 이미 책을 매개로 한 한일 교류의 창구로 알려져 맡은 책무도 해마다 커지고 있는 듯 보였다. 하지만 그 자신은 그 점을 크게 의식하지 않는다고 한다.

"결과적으로 이렇게 인정받게 되어 영광이지만, 저는 어디까지나 하고 싶어서 하는 것뿐이에요. 이 작가의 책이 정말 재미있으니까 꼭 소개하고 싶다거나, 너무 재미있는 사람을 만나서 책거리에 초대해서 이야기를 함께 듣는다거나 하는 거죠. 하나의 책방에서 할 수 있는 일이란 적을 수밖에 없지요. 하지만 그렇기에 계속할 수 있고 즐길 수 있다고 생각해요."

언론 보도나 단편적인 인터넷 정보 또는 책만으로 한

일 관계를 이해하려고 하면 이야기는 점점 딱딱한 쪽으로 흐르고 고자세를 취하게 될 가능성이 높다.

책거리처럼 서점 주인이나 직원의 마음이 느껴지는 그런 책방이 한일 관계의 중간 지점에 서 있다. 손님이 각자의 수준에서 이웃 나라의 문화를 접할 수 있도록 도와준다. 오히려 소소한 일을 도울 수 있기에 책방이 동네에 필요한 것이다. 2017년 무렵부터 일본의 서점 서가에 변화가 생기고 있다. 한국의 작품을 번역하는 출판사가 부쩍 늘어서 한국 소설을 모아 개최하는 전시회도 많아졌다. 이러한 고무적인 현상의 시발점이 된 것이 쿠온과 책거리였음은 분명해 보인다.

②

오전 0시의 열기

타이베이 · 청핀서점

타이베이의 서점에 가면 일본에서는 절대 볼 수 없는 광경이 펼쳐진다. 매장 곳곳에서 바닥에 앉아 책을 읽는 손님을 발견할 수 있다. 대개 학생들인데, 주부로 보이거나 나이가 지긋한 손님도 적잖이 보였다. 어떤 손님들인지 궁금해서 마을 탐색에 동행해 준 가이드와 통역을 맡은 출판사 직원에게 물어보자 다소 곤란한 표정이 되었다.

"책을 살 여유가 없는 사람, 한가한 사람이랄까요. 그런데 꼭 그렇지만도 않아요. 어떤 사람들이라고 확실히 규정하기는 힘들 것 같아요. 습관이 된 사람들이 많다는 건 분명하지만요."

예전에 방문했던 중국이나 홍콩에서도 비슷한 광경을 목격한 적이 있다. 한국에서는 처음 방문했던 2002년 무렵에는 바닥에 앉아 책을 읽는 광경을 자주 볼 수 있었는데, 이제는 점차 사라지고 있다.

나라마다 다른 독서 환경이나 국민소득이 그 배경이 될 수 있을 것 같다. 책은 상품인 동시에 문화 자산이기도 하다. 공공 도서관이나 국민의 가처분소득의 증가에 따라 '서점에 진열된 책은 구입하는 것'이라는 인식이 자리 잡을 것이다. 그렇게 되기까지 서점은 문화 자산으로서 책을 만지고 볼 수 있도록 도서관과 같은 역할도 하게 된다. 어쩌면 타이완에서도 머지않아 이런 광경이 사라질지도 모른다.

타이베이시 청핀서점 둔난敦南점은 24시간 영업으로 유명한 대형 서점이어서 나도 아침까지 머물러 봤다. 현지 사람들과 함께 바닥에 앉아 독서를 만끽해 보고 싶어서였다. 일부러 타이완까지 왔으니 낮에는 여기저기를 돌아다녔는데, 심야가 되면 갈 곳도 마땅히 없으니 마침 잘 되었다. 그런데 막상 해 보니 한곳에 20분 앉아 있는 것도 쉽지 않았다. 익숙하지 않은 탓인지 엉덩이가 너무 아팠고, 무엇보다 불안했다. 진열된 책들은 중국 번체자로 쓰인 책뿐이고, 대충은 이해한다고 해도 심취해서 읽기에는 역부족이었다.

'중국 철학' 코너 앞에서 책상다리를 하고 앉아 두꺼운 책을 읽고 있던 중장년의 한 남성은 한 시간이 넘도록 자세를 바꾸지 않고 앉아 있었다. 움직이는 것은 규칙적으로 위아래로 이동하는 눈동자와 이따금 책장을 넘기는 손가락뿐이었다. 마치 수도승처럼 보였다. 그와 마찬가지로 근엄한 자세를 하고 독서에 몰두하는 사람이 오전 0시를 훌쩍 넘은 시간에도 이곳저곳에서 보였다. 서점의 입장에서는 결코 달갑지 않을 열람하는 행위가 신기하게도 공간 안에 긍정적인 열기를 만들고 있었다.

그렇다면 일본은 어떠한가? 옛날에는 장시간 서서 책을 읽는 손님을 먼지떨이로 내쫓으려는 주인과 눈치 보는 손님 사이에 미묘한 신경전이 벌어지던 시대가 있었다고 한다.(실제로 목격하지는 못해서 사실인지는 확인되지 않았다.) 그러다 1990년대 후반에 접어들면서 의자에 편안히 앉아서 읽을 수 있는 유럽이나 미국의 대형 서점의 시스템을 도입했다. 현재 전국적으로 체인점을 확장하고 있는 츠타야서점 등에서는 함께 운영하는 카페에 책을 가져가서 편하게 읽을 수 있도록 하고 있다. 대부분의 손님들은 독서

보다 수다 삼매경에 빠져 있다. 사장이 전부 둘러볼 수 있는 작은 규모의 서점과 달리 대형 서점의 경우는 '장시간 머물다 가도록 유도해 종합적인 매출 증대를 꾀하는 기업'과 '과도한 서비스에 현혹되는 소비자'라는 구도를 보인다. 참고로 청핀서점에서도 카페가 운영되고 있었는데, 구매하지 않은 책은 가지고 갈 수 없게 되어 있다.

하지만 츠타야서점과 같은 시스템을 일언지하에 부정하는 것은 지극히 단순한 생각이다. 요즘 시대는 각각의 서점이 '가장 효과적인 책 사용법'을 발굴하고 있는 과도기일지도 모르겠다. 카페에 가지고 가서 볼 수 있는 책의 수를 제한하거나 소중히 다루도록 유도하는 안내 문구를 붙여 두는 등 대응 방법을 고심하고 있는 모습이다.

2018년 12월에는 미리 1,500엔(약 1만5천 원)의 입장료를 받는 '분키츠'라는 서점이 도쿄 롯폰기에 문을 열었다. 만화 카페의 고급화로도 보이는데, '책이 즐비한 서가에서 시간을 보내는 것' 자체에 금전적인 가치를 부여하는 하나의 시도로 보인다.

이러한 시행착오 끝에 남는 것은 무엇일까? 떠오르는 장면은 많은 손님이 책에 파묻혀 있던 타이베이의 그날 밤 광경이다. 청핀서점은 2019년 가을 도쿄 도심에 일본 진출

청핀서점 둔난점의 오전 1시의 풍경. 바닥에 주저앉아 독서하는 사람들의 모습을 아침까지 볼 수 있다.

1호점을 열었다. 손님들이 독서 삼매경에 빠진 열기로 가득한 모습도 함께할 수 있을지 무척이나 기대가 된다.

③

'꼭 한 권 사 가셔야 해요'

한국 충북 괴산 · 숲속작은책방

"책방에 들어오시면 꼭 책 한 권 사 가셔야 해요."

입구에 이런 안내판을 걸어 둔 서점이 있다면 어떤 생각이 들까? 불쾌하게 느껴져 들어가지 않고 그냥 지나치든지, 눈길이 가서 한번 들어가 보든지 둘 중 하나일 것이다. 한국에는 이런 서점이 실제로 존재한다. 서점 이름은 '숲속작은책방'인데, 서울에서 지하철, 버스, 택시를 갈아타고 세 시간 정도 가야 하는 괴산이라는 지방의 외곽에 자리한 곳으로, 주변에는 한가로운 농촌 풍경이 펼쳐진다.

서점의 운영자는 김병록·백창화 부부다. 부부의 집 안 거실 벽을 책장으로 만들고 크고 작은 테이블을 이용해서 신간 도서를 중심으로 3천여 권을 진열하고 있다. 넓은 정원에는 직접 지은 창고가 두 개 있는데 그곳에는 주로 그림책을 진열한다. 원래는 사설 도서관으로 문을 열었는데, 2014년 봄에 서점으로 전업했다고 한다. 예전에는 한국 국내에 도서관을 늘리려는 움직임이 활발해서 처음에는 도서관으로 시작했는데, 지금은 공공 도서관 수가 천여 관이나 늘어났기 때문에 '판매자'의 입장에서 독서 촉진에 힘쓰게 되었다고 한다.

그런데 막상 시작해 보니 "이런 시골에 책방이 있다니!" 하며 SNS에 인증 사진을 올리려는 목적만으로 방문하는 사람, 시골 생활에 대한 동경을 가지고 토지 비용, 건축 비용 등 구체적인 상담을 하러 오는 사람이 의외로 많았다. 부부는 이처럼 책에는 전혀 관심 없이 찾아오는 손님들을 어떻게 응대하면 좋을까 고민하게 되었다. 당시 한국에서는 이미 책 이외에 잡화나 음료 등을 함께 판매하는 북카페가 늘어나는 추세였는데, 그런 형태로는 오롯이 독서 촉진만을 목적으로 소신을 갖고 운영하는 노선에서 벗어나지 않을까 싶었다.

부부는 고민에 고민을 거듭하다 급기야 서점 입구에 앞서 소개한 문구를 걸었다. 서점을 개업하고 6개월이 지난 후의 결단이었다고 한다.

"한국에서도 드디어 독서 환경이 갖춰지기 시작해 사람들은 각자의 생활에서 다양한 책을 접할 수 있게 되었습니다. 그런데 그렇게 되자마자 예전에 비해 책을 사서 읽지 않게 되었어요. 출판사나 서점 등 책을 만들거나 파는 사람들의 환경이 점점 힘들어졌죠. 사람들이 내가 사는 한 권의 책이 출판의 미래를 지탱할 수 있다는 의식을 가졌으면 좋겠어요. 안내판에 적은 문구는 이런 바람을 담은 것이기도 합니다."

이 아이디어를 제안한 백창화 씨는 이렇게 말했다.

"그래서 우리의 목표는 언젠가 이 안내판을 내리는 것입니다."

일본의 책방에서도 비슷한 고충을 적지 않게 들었다. '책'을 어떻게 다뤄야 손님이 구매를 할지에 대한 시도는 다방면에서 이루어지고 있다. 그럼에도 '숲속작은책방'처럼 단호한 대응은 좀처럼 흉내를 내기가 힘들며, 아마 한국에서도 유일하지 않을까 싶다.

여기에는 한국이 가지고 있는 독특한 배경도 작용한 듯 보인다. "1987년 민주화 선언 이전, 언론 보도의 자유가 엄격하게 규제되었던 시대의 기억이 부부가 소신 있게 대

숲속작은책방. 건물 2층은 게스트하우스로 운영한다.

처하는 데 동기부여가 되지 않았을까?"라고 가이드와 통역을 맡아 준 '책과 사회 연구소' 대표이자 출판 저널리스트인 백원근 씨는 분석한다.

부부는 50대로, 민주화를 위해 군사정권에 맞서 혹독한 투쟁을 벌이던 1980년대에 대학생이었다. 당시는 정부의 검열을 통과하지 못한 책은 판매할 수 없었고, 가지고 다니는 것조차 허락되지 않았다. 그러한 시대를 잊을 수가 없어 부부는 안타까운 시절에 대한 생각을 담아 책의 소중함을 알리고 있는지도 모르겠다.

빠른 속도, 알기 쉬운 것만 추구하는 매체와 달리, 저자와 독자가 이런저런 이야기로 긴 시간을 공유하면서 사물이나 사상을 이해해 가는 것이 책이라는 미디어의 특징이다.

인생에는 책 한 권 분량의 말을 사용하지 않으면 전달할 수 없는 철학이 있다. 오랜 시간을 들여 자신만의 방법으로 글을 독해하고 생각하며 스스로 터득해 나간다. 사람은 그러한 사고와 소통의 힘을 축적해 둘 필요가 있다.

그러나 그것을 세상 사람들이 알아주는 것은 쉬운 일만은 아니다. '책과 책방은 소중하다!' '모두가 지키자!' 출판사나 서점이 목청 높여 주장한들 어딘가 제멋대로인 핑

계로 들릴 수 있기 때문이다. '꼭 한 권 사 갈 것!'과 같은 규칙에는 시행착오를 겪어 온 책방의 절실한 주장이 숨어 있는 것이 아닐까? 그로부터 일본에 돌아와서 나는 틈만 나면 '숲속작은책방'에 대해 소개하려고 한다.

④

당외인사를 알아보다

타이완 · 타이베이

2017년 1월, 타이완 국회는 국내 원자로를 2025년까지 완전히 폐기하는 법의 개정안을 가결했다. 이 뉴스를 보고 떠오른 생각은 2015년 타이베이시에서 본 '반핵'이라고 적힌 흰 깃발이었다. 당시 방문했던 작은 서점마다 곳곳에 깃발을 걸어 두었다. 타이완 지도 모양의 파란색 배경에 '반핵'이라는 두 글자가 있고, 그 아래쪽에 'No more Fukushima'라는 영문과 '이제 더 이상의 후쿠시마는 필요 없다'라는 타이완어 문구가 적혀 있었다.

처음에는 타이완 사람들에게 후쿠시마는 가까이하면 안 될 두려운 장소일 것이라고 생각했다. 1986년 구소련의 체르노빌에서 원폭 사고가 발생했을 때 일본인들이 느꼈던 것과 같은 공포를 가지고 있지 않을까 하는 생각이었다. 그런데 타이완 현지 사람들에게 물어보니 취지는 조금 다르다고 한다. 타이완은 '포르모사'Formosa(1500년대 타이완의 경치에 반한 포르투갈인이 '아름다운 섬'이라고 한 데서 유래함)라는 별칭이 있는데, 알파벳이 'Fukushima'와 어딘가 비슷한 느낌이 들고 친근하게 느껴지므로 다른 나라의 일이 아닌 자신들의 일로 받아들이자는 메시지가 담겨 있다고 한다.

원래 타이완은 반핵운동의 역사가 긴 나라이기도 하다. '3·11 동일본 대지진' 이후 기운이 거세져 타이완 환경보호연맹 등 여러 민간단체에서 반핵 깃발을 작성했다. 서점뿐 아니라 많은 시민들도 200타이완 원(약 7천 원)에 구입해 상점이나 집 벽에 걸어 두었다. 타이완의 작은 서점은 원자력 발전뿐 아니라 정치나 사회 문제에 대한 의견 표출에 적극적이었다. 환경 문제, 인권을 침해당해 온 원주민 등 사회 빈곤층 지원, 성 소수자에 대한 이해 촉구 등에 직간접으로 관여한 서점이 적지 않다고 한다. 일본의 서점에서는 좀처럼 볼 수 없지만, 그렇다고 일본의 서점이 정치나 사회 문제에 전혀 무관심하다는 말은 아니다. 원자력 발전 관련 도서만 전부 모아 서가에 비치해 '3·11 대지진'을 잊

'반핵' 현수막을 걸어 둔 타이베이의 서점(2015년). 타이완에서는 시민이나 사회적 약자의 편에 서는 작은 서점이 많다.

지 않으려고 노력하는 서점도 있다.

각지의 원자력 발전소를 이대로 재가동하는 것이 옳은지에 대한 불안감이 일본 전체를 뒤덮고 있다고 해도 과언이 아니다. '언젠가는 타이완처럼 일본의 작은 서점들이 모두 깃발을 걸고 표현하는 날이 올 수 있을까?' '아니, 역시 일본에서는 낯선 광경일까?' 하면서 이런저런 생각에 잠겼다.

그러던 어느 날 도쿄에 사는 타이완인 지인을 만났다. 가끔 만나서 타이완 사회 정세 등을 배우고 있는데, 그날은 타이베이에서 본 반핵 깃발이 화제가 되었다.

"민주진보당(민진당) 당 주석인 차이잉원이 총통이 되면서 원전이 폐쇄되게 되었으니 타이완 소규모 서점의 대표들은 현 정부를 응원하는 추세지요?"라고 물었다. 그러자 그는 "글쎄요……"라며 말을 흐리더니 "당외인사라는 말을 아시나요?"라고 내게 물었다.

1987년 계엄령 해제가 선포되기까지 타이완은 오랜 세월 국민당 독재정권 체제였다. 본래 '당외인사'란 이 상황에 결기한 민주화운동을 이끌어 1986년의 민진당 결당에 기여한 사람들을 가리키는 말이라고 한다. 독재정권 아래에서 언론·표현·보도의 자유를 빼앗겨야 했던 시대, 타이완도 한국과 마찬가지로 민주화와 연관되는 출판물은 무조건 금기시했다. 그런 여파로 몰래 숨어서 제작하는 사람들이 생겼고, 그 금지 도서를 매입해 판매하면서 생계를 유지한 노점상도 있었다. 물론 감시의 눈이 살벌해서 매대에 보란 듯이 진열할 수는 없었기에 뒤쪽 안 보이는 곳에 숨겨 두었다가 찾는 손님이 있으면 몰래 팔았다. 물론 팔아도 되는 손님과 그렇지 않은 손님을 구별했는데, 예를 들면 정부의 스파이 등은 단박에 알아차렸다. 노점 책방을 하려면 그러한 안목은 필수였다.

당시 20대였던 지인도 사상·철학 관련 책을 구하려고 노점이 즐비한 거리로 나가서 책을 찾아다녔다고 한다. 그런데 어느 가게에 물어봐야 할지 망설이다 행여 판매하지 않는 가게에 가서 책을 달라고 하면 체포될 수도 있어서 각별히 주의해야 했다고 한다. 노점 책방이나 손님이나 긴장을 늦출 수 없던 일촉즉발의 시대였던 셈이다.

"노점 책방의 사장들은 정치가도 운동가도 아니었어요. 그저 생계를 위해 책을 판 것뿐이죠. 하지만 저는 그들도 마찬가지로 당외인사였다, 혹은 정치가 이상으로 당외인사라고 불려야 하는 사람들이었다는 생각이 들어요. 그런 사람들이 존재했기에 지금의 타이완이 있다고 생각해요. 지금 소규모 서점을 하는 사람들에게도 그 노점 책방의 정신은 이어지고 있다고 분명히 느낍니다."

반핵 깃발은 어디까지나 마을 상인으로서의 의사 표명이다. 현 정권과 일치된 주장으로 보이나, 진정으로 나라를 지탱하고 움직이는 것은 시민들이다.

"타이베이의 상인들은 분명 자부심을 느끼고 있을 거예요." 그는 젊은 세대를 향한 기대를 담아 말했다.

2018년 11월에 시행한 주민투표에 따라 차이잉원 정권은 2025년으로 정했던 원자력 발전소 가동 정지 기한의 설정을 해제했다. 정책은 여론이나 국내외의 정세에 따라 얼마든지 바뀔 것이다. 일부 서점의 움직임은 정치가 어떻게 바뀌든지 변하지 않는다. 시민이 원하는 책을 매입해 팔고, 삶의 양식을 얻을 뿐이다.

책방은 동네의 당외인사다. 멋진 말이지 않은가? 지금까지 만나 온 수많은 책방의 모습이 문득 떠올랐다.

⑤

혐오를 받아들이는 투기장

오사카 · 준쿠도서점 난바점

매일같이 수많은 책이 출간되고 서점 매대에 진열된다. 서점원은 그중에서 이슈가 되는 책, 주목받을 만한 책, 또 스스로가 주목하는 책을 중심으로 주제를 정해 관련 도서를 모아 놓고 전시를 하거나 저자를 초대해 토크 이벤트를 연다. 대부분의 전시는 몇 주 내지 한 달 정도로 진행하고, 이어 다른 전시회를 기획해서 진행한다. 방문하는 손님이 지루해할 틈이 없도록 서점 매장은 새로운 행사를 계속 기획한다. 책도, 전시와 같은 행사 등도 독자의 시선을 빠른 속도로 사로잡고 사라진다.

하지만 그중에는 잊어서는 안 될 행사도 있다. 그 장르

의 앞으로의 행보를 나타내는 터닝 포인트가 될 만한 전시회다. 2014년 연말에 진행된 오사카 준쿠도서점ジュンク堂書店 난바점 전시회가 그중 하나다. 당시 이른바 혐한 책, 반중 책의 간행이 늘어 가는 추세였다. 한국, 중국의 정책 등을 분석·비판하는 범주에서 벗어나 민족의 존재 자체를 부정하고 모멸하는 내용의 책이다. 그러자 그해 11월, 그러한 책을 '헤이트 북'이라 부르며 그것이 양산되는 이면을 고발한 『노 헤이트! 출판 관계자의 책임론을 생각하다』라는 책이 나오기도 했다.

이 책의 발행을 계기로 오사카 준쿠도서점의 후쿠시마 아키라 씨는 '점장 리얼 추천' 코너에서 '헤이트'를 테마로 한 전시회를 기획했다. 그는 헤이트를 비판하는 책을 넘어 『대혐한시대』 등 흔히 알고 있는 혐오 책(차별주의적 발언으로 독자의 심기를 불편하게 하는 책)도 함께 진열했다.

여러 서점에게 혐오 책은 성가신 존재다. 특정 민족을 비난한 책을 아무렇지 않게 취급하는 서점원은 그다지 많지 않을 것이다. 그런데 그런 책들 역시 다른 책과 마찬가지로 출판 유통 중개업체 측에서 끊임없이 보내 오고, 일단 책장에 진열하면 사 가는 사람은 있기 마련이다. 그중에서 특히 잘 팔리는 제목도 있어서 책을 팔아 급여를 받는 서점인으로서는 꾸준하게 판매되는 책을 진열대에서 빼 버리기는 쉽지 않다.

그렇다고는 해도 팔리는 책이라면 무엇이든 진열해도 되는가 하는 생각도 있다. 그래서 책장에 한 권 정도 꽂아 두되 그다지 눈에 띄지 않게 해 두고, 잘 팔리는 제목은 손님들의 문의가 많아 어쩔 수 없이 잘 보이는 장소에 쌓아 두는 배치를 하는 서점이 많아졌다. 어중간한 대응이라고 느껴지지만, 이해는 된다. 서점은 서점원의 개인적인 신념을 표현하는 장소가 아니라 손님들이 원하는 책을 진열해 파는 장소이기 때문이다. 판매자로서의 책임은 있으나, 그것은 저자나 출판사가 가지는 신념과는 그 성질이 조금은 다르다.

이는 출판 유통의 문제이기도 한데, 신간 도서를 취급하는 서점의 대부분은 스스로 발주한 책만을 진열하지는 않는다. 그것만으로는 다양한 종수를 갖출 수 없어서 책의 유통을 맡은 중개업체로부터 다종다양한 책을 자동으로 발주해 받는 시스템을 이용한다. 물론 중개업체와 계약하지 않은 서점, 계약을 했어도 자동적인 배본 서비스는 받지 않는 서점도 있어서 그러한 곳에서는 혐오 책을 발견할 일은 일단 없다. 따라서 혐오 책을 어떻게 취급할지의 문제에 직면한 곳은 오랜 세월에 걸쳐 답습하는 출판업계의 관행에 따라 경영하는 서점이라고 할 수 있다.

그렇다면 새로 간행된 도서는 무엇이든 무조건 보내 버리는 중개업체에 문제가 있는 것일까? 분명 문제는 있다고 본다. 단, 중개업체도 마찬가지로 유통업자로서 자기표현을 하지 못하는 부분을 이해해야 한다. 신흥 종교단체가 신자를 끌어들여 '헌금'을 목적으로 구입을 유도하려고 만든 책이든, 실제로 효과가 검증되지 않은 다이어트 책이든 간에 법의 테두리 안에서라면 중개업체는 원칙적으로 모든 책을 유통시킨다. 내용으로 선별하지 않는 것이 전제이기 때문이다.

이렇듯 아리송한 기류에 휩쓸린 상태에서 후쿠시마 씨는 우직하게 정면으로 이 주제를 마주하려고 했다. 그의 개인적인 견해는 명확히 'NO 헤이트'다. 그런데 'NO 헤이트'가 세상에 알려져야만 하는 이유는 혐오 관련 도서가 늘어나는 추세에다 일정량의 판매고를 보이고 있기 때문이다. 이를 현대의 중요한 현상으로 받아들이고 행사를 통해 표현한 것이다.

신문을 시작으로 여러 미디어가 행사를 기사화했는

데, 평가는 갈렸다. 혐오 문제를 이해하려면 혐오 책이 무슨 내용인지 알아야 한다고 후쿠시마 씨는 의도를 설명했지만, '혐오 책의 차별 표현이 언론의 자유 범주를 넘어섰다', '존중은 하되 찬성은 할 수 없다'는 반응도 있었다.

이 행사가 열린 지 1년 남짓이 지난 2016년 3월, 준쿠도서점 난바점의 그 후의 모습을 확인하고자 방문했다. 혐오 책도 혐오 문제를 생각하는 책도 새로운 책을 꾸준히 발행해 왔지만, 양쪽을 알기 쉽게 대비시킨 코너는 이미 사라졌다. 하지만 약 천 평이나 되는 넓은 매장 구석구석을 살펴보면 후쿠시마 씨가 기획한 전시회가 몇 군데는 실시 중이고, 그것들은 처음 시도와 맥락적으로 연결이 되었다.

예를 들면 '지리학'에 관한 전시회다. 특정 민족이나 지역이 차별받는 전 단계로서 국가와 지역을 나누는 경계선이 생긴다. 그러한 역사적 경위 등을 배우는 취지다. 일용직 근로자들이 많이 모이는, '노숙자들의 천국'으로 불리는 오사카 가마가사키 지구의 변동을 지리학 전문가가 정리한 『외침의 도시』 등이 진열되어 있었다. 그 밖에도 전후의 중국 대륙 등으로부터 퇴출당한 자의 고뇌를 그린 작품, 재일교포의 국적 문제를 다룬 작품 등이 정리되어 있었다. 물론 혐오 문제 자체로의 대처도 현재진행형으로, 마침 『혐오 표현은 왜 재일조선인을 겨냥하는가』의 저자 량영성 씨의 북토크도 예정되어 있었다.

서점원의 입장에서 수많은 책을 접하다 보면 어떤 책은 진열해야 하고 어떤 책은 진열하지 말아야 하는지 선별하는 일이 얼마나 어려운지 통감한다고 후쿠시마 씨는 말한다.

"이쪽은 장사하는 입장인데 팔면 뭐가 나쁘냐고 큰소리치는 것이 아닙니다. 전시회를 했을 때도 양론 병기만 해두면 된다고는 생각하지 않았어요. 계속 고민하면서 고객들에게 '현재'를 알려줄 수 있는 책장을 추구해 갈 수밖에 없다고 생각합니다."

이러한 후쿠시마 씨의 자세는 준쿠도서점이 항상 논쟁의 중심에 서게 한다. 2019년 초 도쿄 기노쿠니야서점 신주쿠 본점의 트위터가 일부로부터 비판을 받은 일이 있었다.

『지금이야말로 한국에 사죄하라』(아스카신샤. 이후 발행된 문고판은 『지금이야말로 한국에 사죄하라, 그리고 '안녕'이라고 말하자』)의 저자인, 한국과 중국에 대한 독설로 악명 높은 햐쿠타 나오키가 자신의 신간 『일본국기』를 새해 첫날부터 홍보한 것이 화근이었다. '이제 기노쿠니야에서는 책을 사지 않겠다'라는 항의가 빗발쳤고, 그러한 가운데 기노쿠니야와 대조적인 존재로서 준쿠도서점 난바점을 소개하는 사람들도 많았다. 준쿠도서점에서는 햐쿠타 나오키를 지지하는 사람으로부터 비판 섞인 전화를 받기도 했다고 한다. 원치 않는 상황에 휘말리게 된 격이지만, 후쿠시마 씨는 그러한 사소한 반응 하나하나에 멈추지 않고 대응하고 있다.

카운터 쪽의 선반에는 2020년 도쿄 올림픽 개최의 시비, 긴축재정 반대, 인권과 평화를 촉구하는 운동 등과 관련한 심포지엄, 토크 이벤트 등의 공지문이 수두룩하게 붙어 있다. 그런 연유로 관련 단체의 관계자가 방문하는 일도 늘었다고 한다.

지금까지 일곱 권의 단행본 저서가 있는 후쿠시마 씨는 일개 서점원의 입장을 넘어 논객으로도 유명하다. 저서 중 하나인 『서점과 민주주의 언론의 투기장을 위해』에서 그는 "서점은 활자가 환기한 의론이 결실을 맺어 유의미한 결과를 낳는다. 서점은 활기 넘치는 투기장이고 싶다"라고 말한다. 현재의 준쿠도서점 난바점을 두고 한 말인 셈이다.

나는 이른바 혐오 책을 쓰는 사람, 출판하는 사람을 이해하지 못했다. 지금도 이해하는 것은 아니다. 국적이나 민족을 떠나 같은 인간이라는 차원에서 동족이지 않느냐는 생각을 가지고 있다. 고향의 풍토, 문화를 사랑하는 차원을 넘어 '일본인'이라는 정체성에 과도하게 집착하는 발상도 이해되지 않는 건 마찬가지다. '일본'이라는 장소에서 '일본인'이라는 인간으로부터 태어난 것에 불과한 우연일 뿐인데, 어디에서 자부심을 느껴야 하는 것인가? 더군다나 일본, 일본인이 아닌 존재 자체를 부정하는 것은 일종의 자격지심을 드러낸 것이 아닐까? 국제 문제나 역사에 어두운 인간의 한심한 이상이라고 치부하고, 비웃으려거든 얼

『서점과 민주주의 언론의 투기장을 위해』(후쿠시마 아키라, 진분쇼인, 2016)

마든지 하라는 마음이었다.

그런데 이것을 '이상'이라는 말로 표현한 것 자체가 스스로 자신의 가치관에 갇혀 있다는 증거이기도 하다. 이 세상에는 전혀 다른 인생관이나 가치관을 가진 사람이 같은 동네에 살고 있고, 인파에 뒤섞여 있다. 최소한 그 사실만은 염두에 두어야 하지 않을까?

2018년부터 트위터를 시작으로 여러 SNS에서 혐오 책과 관련된 도서가 서점에 진열된 것을 비판하는 코멘트가 책방으로부터 발신되었다. 특히 젊은 세대가 헤이트를 완전히 부정하고 있다는 점에서는 미래가 밝게 느껴지기도 한다. 문제의식을 느끼고 행동하는 서점인이 한 명도 나타나지 않았다면 현실이 얼마나 암담했겠는가?

나아가 나는 당시 후쿠시마 씨가 실천한 전시회에서 서점의 존재 의의를 보았다. 혐오 책을 소개했다는 대범함이 대단한 것이 아니다. 서점의 역할은 '혐오 책이 끊이지 않는 상황에 맞서 반혐오를 주장하는 책이 출간되었다'라는 출판계의 현 상황을 방문객에게 제대로 알려 주는 것이며, 그러한 정보가 언젠가 분명 '풍요로운 결실'을 낳게 될 것이라는 믿음으로 서점인으로서 할 수 있는 일을 묵묵히 해낸 그의 소신이 대단한 것이다.

혐오 책의 문제를 떠나서 서점은 고객에게 '정답'을 제시할 수 없다. 책장에는 독이 되는 책이 있으면 약이 되는 책도 있기 마련이다. 무엇이 독일지 약일지는 받아들이는 사람에 따라 달라진다. 서점인이 있는 서점이라면 단순한 '대립'이나 표면적인 '우호'를 넘어선 차원에서 아시아를 생각할 수 있는 실마리를 발견할 수 있지 않을까?

⑥

독립이란 무엇일까?

신베이 · 소소서방

타이완에서는 동네의 작은 서점을 '독립서점'이라고 부르는 것이 일반적이라고 한다. 일본어로도 자연스럽게 통하는 말이다. 최근에는 일본에서도 종종 쓰이고 있다. 그런데 나는 줄곧 이 말에 의문이 들었다. 이 말의 정의는 무엇일까? 도대체 무엇으로부터 독립했다는 것일까?

단순히 '개인이 운영하는 소규모 서점'을 일컫는 것이라면 위화감을 느낀다. 일본, 특히 정가로 신간을 판매하는 동네 서점의 대다수는 상품 입고와 반품 배송을 출판 유통 중개업체에게 맡긴다. 진열하는 책 선정에도 중개인의 손을 빌리고, 정해진 거래 조건을 따른다. 또한 서점조합에 가입해 업계의 비호와 구속을 다양하게 받아 가면서 운영하는 곳이 많다. 이렇듯 '독립'이라는 말과 어딘가 어울리지 않는다.

타이완뿐 아니라 해외의 소규모 서점은 일본처럼 중개를 이용하긴 하지만, 출판사와 직접 교섭해 직거래로 매입 금액이나 판매가를 결정하는 경우가 많다. 하지만 그렇다고 완전히 독립을 했다고 보기에는 어렵다. 역시나 업계의 관행을 따르고 있고, 일본에 비해 정부 지원금 등에 의존하는 사례도 많기 때문이다. 서점 경영의 자립은 어느 나라나 힘든 일인 것 같다. 그렇다면 고액의 수익을 창출하는 기업으로서 경영하는 서점 쪽이 어쩌면 '독립'하고 있는 것이 아닐는지. 그런데 그마저도 주식이나 금융기관의 의향을 무시할 수 없는 숙명을 짊어지고 있다. 민간 기업일지라도 많은 손님이 드나드는 공공성이 높은 장소에서 영업을 하는 것이라 제약도 만만치 않다.

이처럼 경제력이나 사업 규모로 '독립'을 정의하기는 어렵다. 타이베이 신베이시 융허구의 옛 정취가 물씬 풍기는 오래된 상점가에 자리한 '소소서방'은 이름에서부터 느껴지듯이 '타이완 독립서점 계열'의 대표가 될 만한 곳이다.

철학, 문학, 지역 정보지를 중심으로 책을 비치하고, 지역에서 만든 요리나 맥주도 손님에게 제공한다. 독서회를 정기적으로 열거나 주변 가게를 소개하는 지도를 발행하면서 지역 활성화의 중심 역할을 하고 있다. 서점의 주인 류홍펑 씨는 '환경 의제(원자력 발전소)', '원주민', 또는 '세계적 독서량 감소' 같은 한자어를 노트북에 입력하더니 나에게 보여 주었다. 이와 같은 문제를 해결하려고 법안 개정 청원서를 정부에 제출하는 일도 비일비재하다고 한다. 앞서 4장 '당외인사를 알아보다'에서도 소개했듯이 타이베이에는 사회 문제를 고민하고 적극적으로 관여하는 동네 서점이 많다.

류홍펑 씨는 2006년 소소서방을 열기 전까지 타이베이의 대형 서점 '청핀서점'에서 근무했다고 한다. 그때부터 줄곧 언젠가 자신의 가게를 시작해야겠다는 의지를 키워 왔던 것일까?

"아니요, 그만두었을 때는 그저 지쳐 있었어요. 매일 처리해야 할 일이 산더미였고, 기분이 울적한 날에도 내색하지 않고 손님이나 동료들 앞에서 웃는 얼굴을 보여야 했죠. 그런데 내가 사장인 가게라면 이렇게 일본에서 방문한 당신과 편하게 앉아서 이야기를 나눌 수 있고, 무례한 손님이라면 내보낼 수도 있어요. 아마도 저는 사람을 좋아하기도 하고 싫어하기도 하는 것 같아요. 이런 자신에게 정직하고 싶었답니다."

'사람을 좋아하기도 하고 싫어하기도 하는 것 같다'라는 말이 그와 나눈 대화 중에서 가장 인상에 남았다. 주인이 자신다운 모습으로 지낼 수 있고, 그 사람만의 개성을 드러낼 수 있는 곳은 입고 물품이나 가게의 분위기에서 다름이 느껴진다. 그렇게 자신만이 느끼는 자유를 소중히 여기면서 장사라는 험난한 상황을 맞닥뜨리고 있는 서점을 '독립서점'이라고 한다면 어느 정도 납득할 수 있다. 일본에도 오래전부터 있었고, 지금도 생겨나고 있는 그러한 독립서점이 앞으로도 계속 늘어나기를 바란다.

『서점 차리는 법』(류홍펑, 소소서방, 2017)

⑦

우리의 한일 교류

잠시 친구 이야기를 해 볼까 한다. 앞서 1장 '각자의 수준에 맞춰진 책방에서 가능한 것'에서 소개한 윤희육 씨에 관해서다. 그는 1963년생으로 대형 출판사에서 일하다가 1999년에 '지식여행'이라는 출판사를 창업했다. 일본 유학 경험 덕분에 일본어와 일본 문화에 정통해서 지금까지 출간한 도서 420종 중 70퍼센트가 일본 번역서다. 출판사를 시작한 이유는 물론 책을 좋아하고 편집 능력이 있었기 때문이지만 한편으로는 사업가로서 성공해 보고 싶다는 욕망도 컸다.

창업 초기에는 자신이 세상에 던지고 싶던 질문과 관

련 있는 인문사회 계열의 책을 중심으로 출간했는데, 20여 권을 출간했을 무렵 자금이 바닥나 버렸다. 그때부터 대중에게 인기 있는 장르를 연구하고 무난하게 잘 팔리는 책을 출간하기에 이른다. 성공한 사람들의 생활 습관, 이렇게 살면 매일이 순조롭다는 내용 등을 다룬 자기계발서를 중심으로 출간하면서 경영도 안정적인 궤도에 올랐다.

그러자 소설에도 착수하게 된다. 『세상의 중심에서 사랑을 외치다』는 일본에서 출간 후 조금씩 알려지기 시작할 무렵 발 빠르게 번역서 출판권을 얻었다. 당시 초기 반응은 시들했지만, 빈번히 일본 곳곳의 서점을 관찰해 온 그는 판매 촉진의 방법으로 일본의 노하우를 도입했다. 친한 서점인과의 상담을 통해 당시 한국에서는 볼 수 없었던 손글씨로 적은 추천 문구로 홍보를 하면서 시간과 공을 들인 결과, 점차 베스트셀러 반열에 오르게 되었다.

이 성공을 계기로 대형 서점에서 높은 판매 순위에 오르는 책을 다수 출간했다. 물론 실패도 있었다. 베스트셀러 소설의 번역서 출판권을 두고 대형 출판사와 경쟁이 붙었는데, 승부욕이 발동한 나머지 도를 넘는 금액을 불러 어렵게 판권을 얻어 냈고 출간을 강행했다. 그토록 선망하던 작가와의 계약을 이루고 출간까지 이어졌으나, 만족스럽지 못한 결과물로 홍보도 제대로 할 수 없어 결국 회사의 존폐를 걱정할 정도로 적자에 시달렸다. 그럼에도 시장의 축소가 계속된 2000년 이후의 한국 출판계에서 끝끝내 살아남았다.

그는 일본에 방문할 때마다 여러 서점을 돌아다닌다. 기본적으로 중심가 역 주변의 대형 서점을 빼놓지 않고 다니는데, 그편이 다양한 책을 관찰할 수 있기 때문이라고 한다. 비즈니스, 실용, 문고판, 그림책, 심리 등 장르 불문하고 전부 훑어본다. 관심이 가는 책은 무조건 집어 들고 디자인이나 내용, 몇 쇄인지 등을 확인해 출판권을 얻기 위한 금액을 상정한다. 그렇게 매번 일본에 방문할 때마다 상자 가득 책을 구입한다.

"아, 이거 좋은 책이네."

서점 안을 둘러보던 그가 그렇게 혼잣말을 하면 뭐가 좋은지 궁금해진다. 그가 찾는 '좋은 책'이란 무난하게 잘 팔릴 것 같은 책, 베스트셀러가 될 것 같은 책이다. 독자로서 자신의 취향에 맞는 책은 초반에 고른 20권 정도랄까? 나도 그를 따라 시점을 바꾸려고 노력해 봤지만, 대체 이 책의 어디가 좋은지 잘 모르겠다. 일본 작가의 책으로 수익을 내고 때로는 손해도 봤던 그와 함께 있으면 글로 먹고사는 사람으로서의 부족을 통감한다.

물론 나도 한국을 방문하면 그와 함께 서점 탐방을 한다.

어느 날 그가 젊은 부부가 운영하는 서울 근교의 북카페에 나를 데리고 갔다. 책의 권수는 적은 편이고, 잡화나 음식을 먹을 수 있게 마련한 테이블이 대부분의 공간을 차지한 가게였다. 요즘은 사업가로서 야심을 가진 사장보다 자신의 조건에 맞는 소매업을 지향하는 사람이 책방이나 출판사를 개업하는 경향이 있다.

"하지만 그들도 20만~30만 부를 팔 수 있는 기회가 눈앞에 있다면 당연히 뛰어들겠죠. 지금은 책이 안 팔리는 시대여서 목표하는 기대치가 낮아졌기 때문이 아닐까요?"

이러한 세대의 격차가 어느 나라나 마찬가지로 존재한다. 젊은 세대 책방지기들은 성공하고 싶은 욕망을 억누르고 있는 것일까? 아니면 사람의 가치관이 크게 변화하고 있는 것일까? 분명한 사실 하나는 사업 규모와 상관없이 장사에 욕심을 갖는 책방지기의 생각이 틀리지 않다는 점이다. 절박함으로 물건을 파는 행위야말로 그 서점을 매력적으로 느끼게 하니까 말이다.

최근 들어 그의 심경에도 변화가 보였다. 2017년에 지식여행의 경영권을 다른 사람에게 넘긴 후 그는 '창심소'라는 이름의 1인 출판사를 새롭게 시작했다. 지식여행에서는 여러 명의 직원을 고용했지만 지금은 혼자서 운영하니 매월 한 권 정도만 출간할 계획이라고 한다.

나이가 때로는 계기가 된다. 일에만 몰두한 나머지 몸에 이상이 왔던 시기가 있었는데, 매일 건강하게 지낼 수 있다는 것이 얼마나 소중한지 깨달았다고 했다. 취미로 트레킹을 하게 되면서 일본에 잠시 들를 때도 전용 신발과 옷을 챙겨 온다. "다음에 같이 가요. 얼마나 상쾌한지 몰라"라며 내게도 항상 권한다. 나 역시 그것도 좋지만 가끔은 일본의 작은 동네 책방을 다녀 보는 건 어떠냐고 제안하곤 한다.

생각해 보면 그와 나는 상당히 오랜 시간을 함께했다. 그는 입버릇처럼 "일본인은 조용하고 얌전해"라고 말한다. 나는 이 말을 들을 때마다 일본인은 자신의 생각을 제대로 표현하지 않고, 의견 대립을 두려워하며, 기운이나 패기가 없다는 부정적인 반응으로 받아들였다. 특히 심신이 지쳐 있을 때 들으면 불쾌하기까지 했다.

얼마 전에 그가 또 '얌전하다'는 말을 썼을 때 문득 깨달았다. 그가 말하는 뉘앙스는 일본인은 어떤 문제가 일어났을 때 당황하지 않고 차분하게 대처하고, 사려가 깊다는 긍정적인 평가였다는 것을. 결코 그가 단어를 오용한 것이 아니라 내가 오해했음을 알게 되었다. 내가 조금이라도 한국어를 배웠더라면 오해할 일도 없었을 텐데……. 지금껏 많은 외국인과 일본어로 대화를 나눠 왔는데, 어쩌면 이러한 곡해가 적지 않았을 것 같다.

몇 년 전에는 이런 일도 있었다. 서울에 방문했을 때 그의 집에서 묵었는데, 일본에 돌아오자마자 그에게 전화가 왔다.

"이시바시, 속옷 놓고 갔어!"

"아, 그래요? 죄송해요. 버려 주세요."

"버리라고요? 아까운데 내가 입을게요."

"아니, 그것만은 참아 주세요."

수개월 후 일본에서 만난 그는 자신의 말대로 정말 속옷을 그대로 가지고 왔다.

"깨끗하게 세탁해 두었다 가져왔어요."

"와, 감사합니다."

집으로 돌아와 건네받은 비닐봉투에서 속옷을 꺼내 확인하자마자 급한 마음에 이미 서울에 도착한 그에게 전화를 했다.

"이거 내 속옷 아닌데?"

"응? 그럴 리 없어!"

"그게 말이죠, 이건 너무 커요!"

그와 나의 키 차이는 20센티미터 정도나 났다. 결국 두 장의 다른 속옷은 그 후에 만났을 때 다행히 각자의 주인에게 잘 돌아갔다.

나는 능력 있는 출판 사업가인 친구에게 조금씩 한국을 배워 가고 있다. 덕분에 한국과 일본의 차이에 대해서도 두루두루 알게 되었다. 나라는 달라도 속옷을 잃어버리거나 착각하거나 하는 바보 같은 일상은 별반 다르지 않다는 것도 말이다.

⑧

100년 전 책방을 만나다

상하이 / 도쿄 · 우치야마서점 (1)

2017년, 중국을 시작으로 아시아 책을 전문으로 취급하는 도쿄 진보초의 우치야마서점内山書店은 창립 100주년을 맞이했다. 오랜 세월 동안 '중국인이 가장 경애하는 일본 서점'이라고 불리며, 2019년 5월에는 중국 상하이에서 루쉰魯迅(현대 중국 문학을 대표하는 『아Q정전』의 작가)문화기금을 비롯해 수많은 단체에서 주최하는 행사나 기념 좌담회 등이 개최되었는데, 일본의 독서가나 책방을 좋아하는 애서가, 출판 관계자 사이에서도 그다지 알려지지 않은 듯하다. 우치야마의 인지도는 중국에 관심이 있는 사람과 그렇지 않은 사람 사이에서 극단적인 차이를 보인다.

이렇게 말하는 나조차도 진보초의 중심 거리인 '스즈란길'에 있는 우치야마서점이지만 항상 서점 앞을 지나치기만 했다. 굳이 말하자면, 대각선 앞쪽에 있는 역시 중국과 아시아 관련서 전문 서점인 도호서점東方書店에 가는 편이다. '아시아'와 '서점'을 키워드로 취재를 시작할 무렵부터 우치야마서점에 관심이 갔지만, 그 전까지는 100주년을 맞았다는 것, 원래는 중국 상하이에서 영업을 했다는 것, 중국을 대표하는 작가 루쉰과의 교류로 알려져 있다는 것 등을 어렴풋이 인식하는 정도였다.

일단 단순히 손님으로서 서점을 구경했다. 1층과 2층을 한번 둘러본 다음 『루쉰이 사랑한 우치야마서점』이라는 책을 한 권 사서 나왔다. 근처 카페에 들어가 읽기 시작해 한 시간이 채 되지 않아 카페를 나와 다시 우치야마서점으로 향했다. 책장을 넘기면서 어째서 조금 더 일찍 이야기를 들어 보려 하지 않았을까 하는 후회와 함께 초조함이 밀려왔기 때문이다.

계산대 근처에 서 있던 인상 좋아 보이던 여성 점원에게 말을 걸어 취재에 대한 이야기를 전했다. 그러자 점원은 부재중인 점장에게 바로 전달하겠다면서 흔쾌히 서점 내부로 나를 안내해 주었다. 그동안 높게만 느껴졌던 서점의 문턱이 두세 차례 방문하는 사이 서서히 낮아짐을 느꼈다. 그 후 점장에게 여러 정보를 들으며 우치야마서점과 루쉰, 중국과 관련된 책을 조금씩 사 모았다. 우치야마서점에 대한 책은 절판된 것이 많아서 진보초의 고서점이나 온라인에서 어렵게 구했다. 고서 가격이 고가인 희소가치가 있는 책은 점장에게 빌리기도 했다. 언제 들러도 점원들은 온화하게 응대해 주고 친절했다. 창업한 이래 계속 이어 가고 있는 서점의 기풍이 느껴지는 듯했다.

우치야마서점은 1917년 우치야마 간조와 이노우에 미키 부부가 중국 상하이의 집에서 80권 정도의 책을 진열해

『루쉰이 사랑한 우치야마서점』(혼조 유타가, 가모가와출판, 2014)

'우치야마 서적점'이라고 적은 종이 간판을 걸고 영업을 시작한 것이 시초였다고 한다. 당시 중국은 유럽 여러 나라와 일본에 의해 사실상 점령당하고, 상하이에는 다양한 인종의 이주민에 의한 거류지가 생겼다. 특히 일본인 이주가 급증했는데, 『상하이사』에 따르면, 1915년 당시 상하이에 거주하는 외국인 인구는 2만 명 정도로 이 가운데 절반 이상이 일본인이었다고 한다.

1945년 패전까지 일본인 이주민은 10만 명을 넘었다. 개점 당시는 재고도 적어서 장사라고 할 만한 상태는 아니었다. 하지만 일본에서 신간을 입고했던 우치야마서점은 직접 신간을 받을 수 없었던, 상하이에 세 군데 정도 있었다는 일본인이 운영하는 서점과 비교가 되면서 차츰 매상이 오르기 시작했다. 손님은 일본인뿐 아니라 중국의 작가나 지식인층, 한국인 등도 많았다. 그들은 외국어 중에서 비교적 읽기 쉬운 일본어 책으로 세계의 철학, 문학, 과학을 공부했다. 우치야마서점 개점에 대한 내용은 대부분 우치야마 간조의 책을 통해 알게 되었는데, 그는 죽기 전까지 17권의 저서를 집필했다.

회고록을 통해 알 수 있는 것은 그의 뛰어난 사업 수완이다. 일본에서 파는 신간을 중심으로 구비한 것 이외에도 서점 구석에 테이블과 의자를 두고 교토와 우지에서 가져온 차를 우려내 손님들에게 맛보게 했다. 현대의 북카페 형태를 취한 셈이다. 우치야마서점은 일본과 중국의 작가나 문화인이 모이면서 독자도 작가와 만날 수 있는 유명한 서점이 되었다. 깊은 교류로 많은 일화를 남긴 루쉰, 일본의 다니자키 준이치로谷崎潤一郎 등 쟁쟁한 작가들이 찾아와 이웃 나라의 작가들과 활발히 교류했다.

또한 일본인이건 중국인이건 외상으로 책을 살 수 있게 했다. 당시 중국에서는 외상 판매는 하지 않는 것이 철칙이었는데, 간조는 반대로 다른 곳과 달리 외상을 하면 가게 광고가 되지 않을까 생각했다. 우치야마서점에는 좀도둑도 많다는 소문이 퍼지면서 어느새 화젯거리가 늘어났다. 간조는 이러한 가게에 손님들이 몰린다는 사실을 터득하게 되었다. 그는 스스로를 '얌체를 넘어선 초얌체'라고 불렀다.

물론 우치야마 간조와 우치야마서점의 이름이 중국에서 오랜 세월 알려진 것은 일본과 중국 정부로부터 위험한 사상가로 불리며 쫓기는 신세가 된 루쉰을 숨겨 주고 임종까지 지켜 준 진심을 다한 끈끈한 우정은 물론이고, 1935년 무렵 도쿄 우치야마서점을 개업해 일본에서 중국 서적

보급에 주력하는 등 일·중 우호 관계의 가교 역할을 했기 때문이 아닐까 싶다.

나는 무엇보다 범상치 않은 노력파 상인으로서의 그의 경험담에 감동했다.

"진정한 일·중 관계를 만든 사람은 공무원도, 정치가도 아닌 하루하루 밥벌이에 급급했던 민중 한 사람 한 사람이다."

우치야마 간조가 남긴 수많은 말에서 이 신념이 전해져 오는 것을 느낀다.

⑨

온몸으로 중국을 배우다

상하이 / 도쿄 · 우치야마서점 (2)

우치야마서점이 중국 상하이에서 영업한 기간은 1917년부터 일본이 패전한 1945년까지다. 우치야마 간조는 1947년에 일본에 귀국한다. 그는 상하이에서 지낸 30년이란 세월 동안 서점인으로서 수많은 아이디어를 실행했다. 전쟁 중의 거류지라는 특수한 상업 환경이었음에도 그의 발상과 수완은 현대의 서점에도 적용될 수 있는 부분이 상당히 많다. 그의 저서에 기획을 착상하고 정착하기까지의 과정이 구체적으로 기술되어 있는데, 예컨대 다이렉트 메일의 발송이 그중 하나다. 우치야마서점에 입고한 최신 신간과 계간지 등을 소개하는 내용으로, 간조는 이것을 '유혹의 초대장'이라고 이름 붙여 100명 정도에게 보내기 시작하다 최종적으로는 1주일에 한 번씩 약 500명 정도의 손님에게 보냈다고 한다. '흔한 신문 광고보다 효과가 있을 거야. 손님들이 추천받아 구입한 책의 좋은 점과 나쁜 점을 말해 주러 서점에 재방문하지 않을까?'라는 예측은 적중했고, 단골손님이 늘어나는 데 크게 기여했다.

'상하이 동화협회'라는 단체를 설립한 계기 또한 무척 흥미롭다. 당시 상하이에 거주하는 일본인들은 자국의 잡지를 자주 주문했다. 부모의 영향인지 아이들도 좋아해서 자주 읽었다고 한다. 그런데 간조는 점차 무언가 부족함을 느끼기 시작했다.

"상하이의 아이들은 마른 나뭇잎처럼 푸석푸석 건조해. 정서가 메말랐지."

"귀로 듣는 감정의 영향을 직접 느낄 기회가 적지 않은가."

그는 마을로서는 비교적 역사가 얕은 일본인 거류지의 아이들은 할머니, 할아버지가 들려주는 동화를 들을 기회가 적다는 점에 착안했다. 이를 해결해야 한다고 판단한 그는 협회를 설립하는 동시에 출판사와 주민들의 도움을 받아 지역 아이들을 위한 동화 구연 모임을 시작했다. 때로는 간조 자신이 창작한 이야기를 들려주기도 했다고 한다.

그가 아이디어를 고안하는 데 참고한 것은 상하이를 기점으로 중국 각지에서 보고 들은 노점과 같은 상업 방식이었다. 예를 들면, '만두 이론'이라고 이름 붙인 에피소드가 여러 저서에 등장한다. 국내외의 정서가 불안정한 시대였기에 화폐 가치가 떨어지고 모든 물가가 급격하게 오르는 일도 비일비재했다. 노점의 만두 가게가 그런 어려움을 어떻게 돌파해 나가야 할지를 고심하다 우선 만두 판매 가격을 올리는 동시에 만두를 크게 만들어 손님을 설득했다. 그리고 크게 만들었던 만두를 점차 줄여서 최종적으로는 원래 크기로 되돌렸다. 결국 가격만 올리는 데 성공한 셈이다. 그들은 그런 식으로 매입 원가 상승에 현명하게 대처해 나갔다고 한다.

또한 중국 상인들의 가격 할인에 대한 생각을 소개한 내용도 있다. 한 개보다 열 개를 사는 손님에게 할인율을 적용하는 게 일반적이지만, 당시 중국에서는 대량으로 구입할수록 한 개에 해당하는 가격을 비싸게 책정하는 가게가 많았다고 한다. 많이 구입하는 손님은 비교적 여유가 있는 사람이라고 생각했기 때문이다. 몇 개만 사는 여유가 없는 손님에게는 할인을 해서 싸게 해 주고, 많이 살 수 있는 여유로운 손님에게는 비싼 가격에 판매한다는 것인데, 이론적으로는 납득이 간다. 이는 간조의 해석은 아니었지만, 조금씩 사는 쪽에 혜택을 주면 그만큼 자주 사러 오게 되므로 매상이 오를 것이라고 예측했을 것이다.

여하튼 그는 중국 상인들의 방식을 자신의 상업에 적용해 잘 살려 냈다. 간조의 저서 중에서 『송해, 오해: 상하이 생활 35년』라는 기묘한 제목이 있는데, 상하이의 현지 발음이 '송해'로 들리는 데서 착안한 책이다.(마찬가지로 '오해'로 발음되는 단어는 '下海'(샤하이), 돈을 벌려고 세상에 뛰어드는 것 또는 그런 사람을 뜻한다.) 간조는 신문 등 언론 매체의 보도나 사람들의 입소문보다 스스로 찾아다니며 직접 보고 듣고 느끼며 얻은 체험을 중요하게 여겼다.

또한 무조건 이익을 좇거나 매상을 높이는 것에만 몰두하지는 않았다. 1937년 청일전쟁의 발발로 수년간 일본 기업의 중국 진출이 붐을 이루었는데, 그는 거류지에서 새로운 장사를 권유받았지만 전쟁에 편승한 사업 확장은 강하게 거부했다. 한편으로 반일운동이 격화해 상하이에서 일본인이 운영하는 상점이 줄지어 문을 닫는 사태가 벌어져도 동요하지 않고 서점 문을 꾸준히 열었다. 국가의 엄격한 제한과 간섭이 있던 시대에 중국인이나 일본인이나 상관없이 동등한 손님으로 맞이했다. 자신의 표현을 지키려는 작가를 응원하고 격려하는 태도를 보이기도 했다. 그의 뛰어난 상술은 생활인으로서의 '득'과 '덕'을 겸비해 널리 발휘되고 있었다. 그렇기에 일본과 중국의 가교 역할을 톡톡히 할 수 있었던 것이 아닐까?

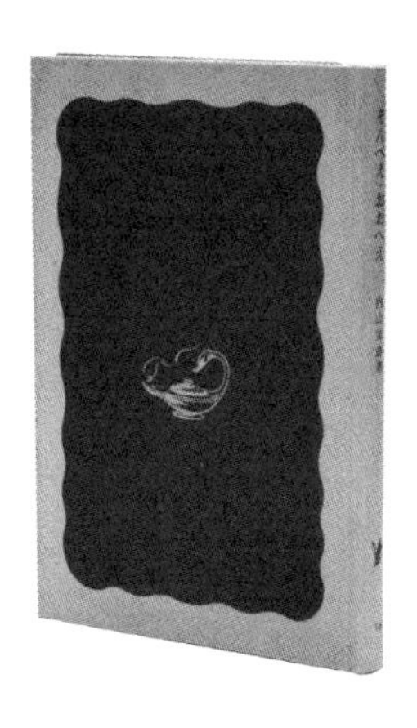

『송해, 오해: 상하이 생활 35년』 복각판(우치야마 간조, 이와나미서점, 1949)

⑩

미소 띤 박애주의자

상하이 / 도쿄 · 우치야마서점 (3)

사실 우치야마서점의 창립자는 우치야마 간조가 아니라 첫 아내 미키 씨였다고 한다. 간조는 1885년 오카야마에서 태어났다. 12세에 현재의 초등학교에 해당하는 고등소학교를 자퇴하고 오사카 양반물상(양복 옷감을 다루는 가게)에 견습생으로 들어갔고, 이곳을 나온 후 여러 곳을 옮겨 다니며 일했다.

인생의 전환점은 1912년, 27세 때였다. 교토의 한 교회를 방문해 신앙에 빠져들었고, 교회 목사의 추천으로 현 산텐제약(안약 전문 제약회사)의 출장 판매직을 거쳐 이듬해 중국 상하이로 이주한다. 아내를 만난 것도 교토의 교회에서였다. 교토 출신의 미키 씨는 부모의 빚에 허덕이며 어린 나이에 기온의 화류계에 들어가 온갖 고생을 다 했다고 한다. 둘은 1916년에 결혼했고, 상하이에서 신혼 생활을 시작했다.

간조는 제약회사의 판매원으로 중국 각지를 누비고 다녀야 했기에 미키 씨는 혼자 집에서 지내는 시간이 많았다. 뭔가 할 수 있는 일을 찾던 그녀는 문득 서점 일을 떠올리게 되었다. 원래부터 '아내의 경제적 독립'을 중시했던 간조는 미키 씨가 서점인이 되는 것을 전폭적으로 지지했다. 그는 저서에서 결혼 전부터 '신앙생활의 충실'과 이어지는 상업은 무엇일까를 서로 논의했다고 적었다. 개업 때 진열한 책은 우치무라 간조(종교인이자 사상가로 일본 기독교계를 대표하는 인물) 등 기독교 관련 도서뿐이었다. 이것도 교회의 목사와 상담해 출판사를 소개받았다.

이렇듯 서점을 시작하기까지의 경위는 일본인이나 중국인 구별 없이 모두에게 친절하게 대하고 처음 본 손님에게도 선뜻 외상을 허락했던 우치야마서점의 박애주의적인 사상에서 비롯되었다고도 할 수 있겠다. 간조는 좀도둑에게조차 '책을 훔치는 사람은 돈이 있었다면 분명 책을 사고자 했을 사람이니까, 비록 지금은 책을 훔쳤을지라도 잠시 돈을 빌려 준 것이나 다름없다고 생각한다'는 관용을 베풀기도 했다. 또 진취적인 기질이 넘쳐 개인의 자유를 빼앗는 권력에는 반발적이기도 했는데, 그 바탕에는 기독교 신앙이 있었으리라 본다. 루쉰을 시작으로 일본과 중국 양국 정부로부터 쫓기는 신세였던 중국 문인을 비호하는 서점으로 알려지면서 간조는 1937년 9월 일본에 잠시 귀국했을 때 도쿄 경찰서 구치소에 4일간 감금되어 신문을 당하기도 했다. 이때 "상대가 공산주의자건 국수주의자건 중국 이민자이건 밥을 달라고 하면 밥을 주고, 뱃삯이 없다고 하면 돈을 내주었다. 이것이 죄라면 기쁘게 죗값을 받겠다"라고 진술했다고 한다.

'길 위의 당외인사' 간조의 수많은 에피소드를 읽으면서 머릿속에 떠오른 것은 타이완 지인의 말이었다.

병약한 미키 씨는 일본의 패전을 목전에 두었던 1945년 1월에 세상을 떠났는데, 간조는 심한 상실감에 열흘 이상 집 밖을 나오지 못했다고 한다. 같은 해 8월에 일본이 패전하자 상하이의 일본인 이민자는 줄줄이 귀국하고 우치야마서점도 부득이하게 9월 25일에 문을 닫기에 이른다. 간조는 중국에 영주할 각오로 상하이에 머물며 1947년에 고서점을 다시 개업했다. 그러나 그해 12월 중국 국민당의 무장보안군이 상하이의 일본인 거류 지역을 포위해 간조를 포함한 일본인 모두에게 강제 귀국 명령을 내렸다. 그렇게 34년 동안 이어졌던 중국에서의 생활이 완전히 끝났다.

일본에 귀국 후 초기에는 동생 가키쓰에게 맡겼던 도쿄의 우치야마서점을 도왔으나, 일·중 우호를 위한 강연 활동 등으로 전국을 다니는 일이 빈번해져 서점에 나가는 일이 점차 줄어들었다. 그에게는 아내 미키가 존재하지 않는 서점은 의미가 없었을지도 모르겠다. 그 후 1950년에 가토 마사노라는 여성과 재혼하는데, 그는 홀로 된 간조의 일과 생활을 도우려고 일생을 희생한 인물이라고 해도 과언이 아니었다. 간조는 1959년 9월 20일 요양차 베이징을 방문했을 때 갑작스러운 뇌출혈로 세상을 떠났다. 향년 74세였다. 남겨진 그의 사진은 천진난만하게 웃는 얼굴이 많은데, 우치야마서점이 일본인·중국인뿐 아니라 많은 손님들을 불러들인 가장 큰 이유도 이 웃는 얼굴이 아니었을까 싶다.

오래전 우치야마서점이 간행했던 계간지 『우치야마』鄔其山 1985년 가을호는 '특집 우치야마 간조 탄생 100주년, 도쿄 우치야마서점 창립 50주년' 기념호로 발행되어 간조와 인연이 깊은 사람들의 추억담을 담았다. 학창 시절 1주

계단 벽에는 100년의 역사가 담긴 사진을 전시하고 있다.(우치야마서점)

일에 한 번은 우치야마서점에 들렀다는 한 기고자는 “간조는 작은 체구에 자세가 올곧은 사람으로, 방문할 때마다 항상 기분 좋게 ‘네네, 얼마든지요’ 하며 화통하게 웃으며 밝고 높은 목소리로 응대했어요”라고 말한다.

그의 목소리에 대해서는 특유의 쉰 목소리로 기억하는 사람들의 증언도 적지 않다. 화통하고 밝으며 특유의 쉰 목소리라…… 대체 어떤 느낌이었을까?

만나서 이야기를 나눠 보고 싶다. 웃음 뒤에 있는 그의 생각을 들여다보고 싶다.

⑪

앞으로의 100년을 향해

상하이 / 도쿄 · 우치야마서점 (4)

일본 국내에서 우치야마서점의 역사는 1935년에 시작한다. 그해 우치야마 간조의 15살 터울의 동생 가키쓰가 부인 마쓰모와 함께 도쿄 소시가야오쿠라에 중국 서적 전문 서점 '도쿄 우치야마서점'을 열었다. 간조가 중국 상하이에 이주한 지 20년 정도가 지났을 무렵이다. 앞서 소개한 『우치야마』 1985년 가을호에 가키쓰와 마쓰모가 개업한 경위부터 1945년 종전까지의 기록이 담겨 있다.

1935년 정월에 일시 귀국해 가키쓰와 마쓰모의 집을 방문한 간조는 "중국 출판물을 전문으로 취급하는 책방을 열고 싶은데, 어떻게 생각하니? 네가 해 보지 않을래?"라고 제안했다. 4년 전 만주사변이 발발했고, '일본인이 중국에서 제멋대로 행동한다'며 불만을 가진 간조는 '일본인은 중국의 진정한 모습을 알아야 한다'는 자신의 생각을 토로했다.

가키쓰는 형의 말에 많이 흔들렸다고 했다. 당시 가키쓰는 경제적으로 안정적이지 못한 상태였다. 그는 세이조학원에서 미술교사로 근무하던 중, 군국주의가 일본 전역을 휩쓸면서 자유주의교육을 추진했던 세이조학원의 학원장이 배척당하고 학원장을 지지한 가키쓰 등도 퇴출당하는 상황에 처했다. 세이조학원의 교육 이념을 지키고자 했던 교원과 학부모 들이 1933년에 와코학원을 설립했고 가키쓰도 이에 가담했지만, 생계가 불안정한 상태였다. 가키쓰는 동생의 상황을 고려한 형의 사려 깊은 제안이라고 생각했다.

가키쓰는 서점 운영이 처음이었지만, 아내인 마쓰모는 상하이에서 우치야마서점의 직원으로 일한 경험이 있었다. 개업 초대장의 점주 이름을 아내인 마쓰모로 한 이유이기도 하다.

"상하이 우치야마서점의 창립자가 형이 아닌 형수님이었듯이 도쿄 우치야마서점의 창립자도 제가 아니라 실은 아내랍니다."

개점 초기의 입고는 상하이 서점에 의존했는데, 개점에 맞춰 보내온 책은 잡지와 단행본을 포함해 약 200여 권이었다. 상하이와 마찬가지로 서점이라고 불리기에는 다소 부족한 시작이었다. 그럼에도 개점한 지 얼마 지나지 않은 어느 날 마쓰모가 외출했다. 돌아오자 '비국민'非国民이라고 낙인이 찍힌 종이가 서점 문틈 사이에 끼워져 있기도 했다. 1년 정도는 중국인 유학생 손님이 대부분으로, 처음 방문한 일본인은 경찰청의 특별 고등경찰이었다고 한다.

중국 문인들의 신작을 비치한 서점의 평판은 날로 널리 퍼졌고, 다케우치 요시미 등 중국문학연구회 회원이었던 작가 등도 방문했다. 감시의 눈은 항상 도처에 널려 있었고, 종종 특별 고등경찰이 찾아와서는 서점에서 나가는 중국인 유학생에 대해 묻기도 했다. 마쓰모는 "아무것도 모르겠다고 대답했죠. 그중에도 유일하게 정말 착한 형사님이 있었죠. 책장의 책을 가리키며 '부인, 이 책은 내용이 좋지 않으니, 눈에 안 띄게 빨리 팔아 버려요'라고 가르쳐 준 적도 있어요"라고 말했다.

개점한 지 1년 반 만에 간다 히토츠바시로 이전하자 매상은 크게 늘었고, 상하이에 이어 도쿄 우치야마서점도 번창했다. 때마침 청일전쟁이 시작된 1937년 무렵으로 단골 고객이었던 중국 유학생들이 대부분 귀국해 버렸지만, 이번에는 관청, 군부 관계자와 언론인이 중국에 대한 정보를 얻으려고 몰려들었다. 가키치는 그때를 회상하며 "의지와 반대로 본격적인 중국 침략 수단으로 사용되던 시대"라고 말한다. 1945년의 일본 패전에 따른 상하이 서점의 폐쇄, 1959년 간조의 서거를 거쳐 1968년에 진보초의 스즈란길에 지금의 사옥을 마련했다.

이제 현재의 도쿄 우치야마서점을 살펴보자. 현 사옥으로 이전한 해에 입사한 가키치의 셋째 아들 마가키가 1978년부터 사장직을 맡아 왔는데, 도호서점과 함께 중국 도서 판매를 대표하는 서점이라는 명성을 이어 가면서 2010년부터는 한국, 태국, 인도네시아 등 아시아 각국에 대한 책도 다루었다. 2018년 10월에는 점장으로 현장을 맡아 온 마가키의 차남 신이 사장직을 인계했다.

새로운 사장이 된 우치야마 신은 1972년생으로, 대학생이라는 젊은 나이에 가업을 잇기로 결심하고 졸업 후 중국 베이징대학에서 1년여를 유학했다. 1990년대까지는 매입을 포함한 계약 때문에 정기적으로 중국에 출장을 다녔다. 인터넷에서 거래가 가능하게 되면서부터는 예전만큼은 아니더라도 현재도 1년에 한 번은 방문한다. 서점 특성으로 보아 당연하지만, 같은 세대의 서점주, 서점 직원 중에서도 이색 경력을 쌓아 온 서점원이라고 할 수 있다.

서점의 1층 입구에서 좌측 매장까지는 주로 일본어 책이 진열되어 있다. 중국과 중국 공산당을 비판하는 책이 의외로 많고, 심지어 눈에 띄게 비치했다는 것을 단박에 알 수 있다. 기본적으로 서점에 진열하는 책은 우치야마 신 사장이 스스로 판단해 결정한다고 한다. 창업 당시와 마찬가지로 중화권 유학생이나 관광객의 내점도 많은데 중국 공산당을 부정하는 것은 중국 국내에서는 불법이기 때문에 호기심에 사 가는 것이라고 한다. 이 책을 중국으로 가져가도 괜찮은지 묻는 손님도 종종 있다고.

이른바 중국 비판서 중에서 어떤 책은 진열하고 어떤 책은 진열하지 않을지 판단하는 기준은 무엇일까?

"제가 흥미로운 내용이라고 느낀 책을 진열한다는 것이 원칙입니다. 구체적으로 말하면, 중국에 대해 직접 경험한 실체험과 단순한 체험담에 그치지 않는 고찰, 두 가지가 있다고 할까요? 특히 실체험 쪽입니다."

상하이 생활에서 체감하고 터득한 것을 장사에 활용해 온 우치야마 간조의 자세와 통하는 것이 있다는 생각이

들었지만, 정작 신 사장 본인은 일상에서 우치야마 간조를 의식하는 일은 거의 없다고 한다.

이른바 혐오 책이 양산된 근래에는 중국 비판서의 취급을 줄이는 경향이 있다.

"다른 여러 일반 서점에서 유통되는 책을 전문 서점에서 취급하는 것은 의미가 없죠. 과격한 제목으로만 포장된, 내용은 얕은 책이 많아졌지요."

나는 책장에 꽂혀 있는 책 한 권을 꺼냈다.

"이 저자의 책은 어떨까요? 일반적으로, 혐오 책의 저자들과 같은 범주에 있다는 느낌이 듭니다만……."

"그건 왜 구입했지?(웃음) 좀 재미있겠다고 생각했었나?"

책 선정에 관해서 명확한 입장을 보이지만, 이따금 빈틈을 보이기도 한다.

그런데 책을 몇 장 읽다 보니 자신이 중국인 지인이 얼마나 많은지를 밝히는 등 미디어에서 알려진 이미지와는 다소 다른 면이 언급된 책이라는 생각이 들었다. 민족 차별적인 내용을 언급하는 것은 논외라고 해도, 앞으로는 감정적인 부정도 과도하게 눈치를 보는 긍정도 아닌, 동아시아인 사이의 친밀한 관계를 촉구하는 책이 트렌드가 되어 가는 것은 아닐까? 내가 기대에 찬 마음으로 묻자 그는 "그런 흐름이 분명 있을 것 같아요" 하면서 1989년 톈안먼 사건이 중국인에게 준 영향을 다룬 논픽션 『팔구육사: '톈안먼 사건'은 다시 일어날까』를 꺼내 보이더니, 이 책은 여러 중국인을 취재한 데다 저자가 솔직하게 현재의 중국 현실에 대해 잘 소개하고 있다고 알려 주었다.

나중에야 내가 말한 것이 독자론도 트렌드도 아니었음을 깨달았다. 우치야마서점에서는 항상 그렇게 현실을 제대로 반영한 책을 엄선해 진열해 온 것이다. 나는 단지 눈앞의 책장만 바라보고 말했을 뿐이었다.

『평균유전: 중국의 과거와 현재』平均有銭: 中国の今昔(우치야마 간조, 도분칸, 1955)

서점계의 전체적인 추세가 그랬듯이 우치야마서점의 실적도 1980년대 후반이 절정이었다. 도서 판매법, 취급법이 크게 변화하는 가운데, 노포 서점에서는 오히려 역사의 무게가 걸림돌로 작용하는 경우도 있었으리라 본다.

2017년 5월, 중국 상하이에서의 창업 100주년 기념행사에 참석한 우치야마 신은 위기감을 느꼈다. 도쿄 우치야마서점은 3일간의 임시 휴업을 결정하고 루쉰의 손자인 저우링페이와의 기념 좌담회에 참석해 환대를 받기는 했으나, 중국 측 관계자들이 관심 있는 것은 우치야마 간조의 이름뿐이고, 현재의 우치야마서점이 화제가 되는 일은 전무했다고 한다. 안타까운 일이지만 무리한 이야기는 아니라고 본다. 만나 본 적 없는 나조차도 우치야마 간조에 매료되어 그의 문헌 소개만으로 지면을 전부 할애할 정도다. 본인의 저서는 물론, 전기까지 나오는 인물이지 않은가? 루쉰과 간조를 비롯해 일본인과의 교류를 그린 이노우에 히사시의 희곡 『상하이의 달』シャンハイムーン은 공연이 이어지고 있고, 2018년에는 전통극 출신 유명 배우 노무라 만사이가 주연을 맡기도 했다.

우치야마 간조의 서거로부터 60년이 지났고, 전설은 조금씩 잊히고 있다. 상하이에서도 우치야마서점을 모르는 사람들이 늘고 있다고 한다.

상하이에 동행했던 우치야마 신의 아내 고노미 씨도 체류 중에 만난 현지의 젊은 여성으로부터 “일본은 매우 좋아하지만 우치야마서점에 대해서는 이번 기념행사에서 처음 알았다”는 말을 들었다. 그러면서 그녀는 “우리 사이에서 가장 유명한 일본인은 ‘타카 씨’예요”라고 알려 주었다. 타카 씨는 상하이에서 유명한 카리스마 미용사라고 한다. 그러한 중국의 ‘현재’를 민감하게 반영하고 있는 서점이 아니면 안 되지 않겠느냐고 고노미 씨는 말했다.

2014년 무렵부터 우치야마서점은 서가 구성에 큰 변화를 주었다. 기존에 진열했던 문학부터 사회과학, 어학 등의 전문서뿐만 아니라, 타이베이, 홍콩을 포함한 중화권이나 한국 등에 관한 여행서, 요리 레시피, 신세대 취향의 잡지, 신세대 소설 등을 내세워 조화를 이룬 다양한 상품들을 비치했다.

지금까지의 고객층에 더해 책은 좋아하지만 중국이나 아시아에는 관심이 없는 사람, 아시아에 흥미가 있어도 책을 잘 안 읽을 것 같은 사람에게도 어필하고 있다. 2018년 여름에는 각국의 인스턴트라면을 소개한 ‘아시아 인스턴트라면 전시회’를 진행했는데, 나도 어쩌다 보니 비닐봉

2019년 7월 1층 계산대 앞. 대규모 시위가 이어지는 홍콩을 주제로 한 미니 전시회.(우치야마서점)

투에 한가득 인스턴트라면을 구입했다. 당분간은 새로운 우치야마서점을 목표로 여러 시행착오가 계속될지도 모르겠다.

서점 안의 광경을 보고 있으면 손님층이 매우 다양해 흥미롭다. 일본인, 중국인, 그 외의 여러 나라 사람들이 교대로 찾아와서 책을 사기도 하고 사지 않기도 하면서 스쳐 지나간다. 그 반응에 맞추어 지체 없이 계속 변하는 서가에서 아시아의 현재가 떠오름을 느꼈다.

⑫

수전에게 배우는 동아시아

도쿄 · 진보초 헌책방거리

도쿄 진보초의 한국 북카페 책거리에는 다양한 손님이 드나들고 있다. 어느 날 대표 김승복 씨의 소개로 알게 된 사람은 '동아시아의 고서점 거리'를 연구하는 미국인 대학원생 수전 테일러였다. 그는 주일 미군 기지에 근무한 적이 있던 아버지로부터 어릴 때부터 당시의 추억 이야기를 듣고 자랐고, '일본어를 배우고 싶다', '언젠가 일본에 가고 싶다'는 생각을 계속해 왔다고 한다.

'세계 제일의 책거리'로 알려진 진보초를 2007년에 처음 방문했을 때 '거리 자체가 책장으로 만들어진 거대한 미로'로 보였다고 한다. 2008년에 조지타운대학을 졸업한 후 일본의 상사에 취직했지만, 진보초를 연구하고 싶다는 열정은 식지 않았고, 결국 도쿄대학 대학원에서 진보초 고서점가를 주제로 석사 논문을 썼다. 그의 열정적인 관심은 2011년에 찾은 한국 서울의 고서점가에까지 확대되었고, 서울에서도 단기 유학을 했다. 현재는 하버드대학 대학원에서 문화인류학을 전공하면서 종종 일본에 방문한다고 한다.

"동아시아 서점 문화는 미국에서는 보기 힘듭니다. 세계 여러 사람들에게 알리고 싶은 마음이에요. 그런데 아직까지는 미국에 있는 주변 친구들에게 이야기를 해 줘도 잘 전달되지는 않네요."

2017년 8월, 책거리는 수전의 지금까지의 연구 성과를 선보이는 취지에서 토크 이벤트를 열었다. 수전은 고서점끼리 책을 교환하는 '이치카이'市会와 일반인을 대상으로 여는 '즉석 판매회', 노하우와 인맥을 계승한 직원이 자기 가게를 갖게 하는 '노렌와케'のれん分け 관습 등 몇 가지 특징을 들어 진보초를 '지혜의 거리'라고 불렀다.

"미국에서 '지혜의 거리'라고 하면 실리콘밸리나 명문대학이 위치한 지역이 떠오르는데, 어디까지나 전문 분야의 연구자나 기술자를 위한 거리라는 느낌이 듭니다. 진보초에도 출판사나 대학이 밀집해 있어서 전문가의 거리이기도 하지요. 하지만 그렇지 않은 사람도 즐길 수 있는 거리, 누구에게나 열린 거리이지 않나요? 이 점이 특히 저에게는 무척 흥미로워요. 어째서 일본에는 이런 거리가 생길 수 있었을까요?"

그녀는 이어서 스크린으로 서울에서 찍은 사진을 보여 주었다. 옛날 모습 그대로인 헌책방과 젊은이들이 만든 새로운 북카페 스타일의 헌책방이었다. 그리고 "서점이란 무엇일까요?"라는 질문을 띄웠다.

"동아시아 서점 문화는 저에게 다소 복잡하게 비칩니다. 예를 들어, 일본어의 '서점'書店과 '책방'本屋은 어감이 다르지요. 미국에도 북스토어, 북샵 등 여러 호칭이 있긴 하지만, 의미는 같아요. 옛날 사람들은 책으로 지식과 정보를 얻었습니다. 지금은 정보를 얻으려면 인터넷으로 검색을 하면 되는데, 그럼에도 사람들은 책방에 갑니다. 일본이나 한국에서는 책방을 즐기는 문화가 아직 남아 있습니다. 왜일까요? 저는 그저 무척 신기하고 궁금하기만 합니다."

그녀는 논제마다 끝에 반드시 물음표를 붙였다. 아직 연구 중이기도 하고, 결론을 찾지 못했기 때문이 아닐까?

하지만 토크 이벤트에 참가한 진보초 노포 서점의 한 점주는 그녀의 연구가 아직 미완성인 점에 오히려 공감했다고 한다.

"나도 '이런 시대에 왜 서점을 하느냐'라는 질문을 받으면 그렇게 쉽게 대답하지는 못할 것 같군. '왜 살아가느냐'는 질문을 받은 것이나 다르지 않을 테니."

그렇다면 서점업은 왜 없어지지 않을까? 서점을 시작하는 사람은 왜 지금도 끊임없이 생겨나는 것일까? 원래 동아시아에서만 보이는 특징일까? 뉴욕에도 작은 서점을 시작하는 사람이 많다는 말을 듣기는 한다. 그런데 수전의 눈에는 동아시아 서점에서 특별한 무언가가 느껴지는 것 같다. 동아시아 서점만의 공통되는 또는 동아시아에만 존재하는 책방 문화는 무엇일까? 어느새 나조차도 머릿속이 물음표로 가득해졌다.

스즈키 다이세츠의 『동양적인 견해』에 따르면, 동양에는 이른바 '에덴동산'이 없고, 선악과 옳고 그름만이 공존한다. 그리고 동양인은 생활에 밀착하지 않는 철학에는 관심을 갖지 않는다고 한다. 이런 관점에서 파악하면 납득이 가는 무언가가 떠오르지 않을까……. 토크가 끝난 후에 그런 식으로 생각의 폭을 넓혀 가면서 수전과 이야기를 나누었다. 나와 같은 의문을 가진 사람이 미국에도 있다는 사실이 기쁜 나머지 평소보다 말수가 많아졌다.

2017년 8월, 도쿄 책거리 책방에서 열린 수전 테일러의 토크 이벤트. 그녀의 취재에 응했던 진보초의 서점 주인들도 참가했다.

⑬

ACG의 본고장에서

도쿄 · 애니메이트 이케부쿠로 본점

아시아를 시작으로 해외 각국에서 손님을 모으고 있는 일본의 서점은 다름 아닌 애니메이션, 만화 전문점이다. 얼마 전 도쿄의 애니메이트(애니메이션·만화·게임 관련 상품을 파는 일본의 체인 기업) 이케부쿠로 본점에 잠시 들렀다. 마침 학교 여름방학 기간이기도 했지만, 어느 시간대에 가도 사람들로 붐볐다. 국적 불문하고 다양한 나라에서 온 사람들로 다채로운 분위기였다.

가게에서 나오는 아시아계 사람에게 말을 걸어 보았다. 일본어를 할 줄 아는 젊은 남자 두 명이 인터뷰에 응해 주었다. 그들은 둘 다 홍콩에서 온 23세의 회사원이었다.

같은 학교 출신의 친구로, 휴가를 이용해 일본으로 여행을 왔다고 했다.

"일본 애니메이션과 만화를 좋아하는 사람은 이 친구예요. 특히 좋아하는 것은 『기동전사 건담』이라고 하는데요, 저는 별로 관심이 없지만 오늘은 친구가 가고 싶은 장소에 가기로 해서 왔어요. 홍콩에도 애니메이트는 있지만, 일본 애니메이트에 가고 싶다고 오래전부터 말했었거든요."

내일은 하코네 온천에 간다고 한다.

상하이 출신으로 현재는 일본에서 유학 중인 또 다른 여성은 "한 달에 2~3회 정도 옵니다. 오늘은 상하이에서 놀러 오는 오랜 친구와 여기에서 만나기로 했어요"라고 말했다. 그녀는 캔으로 만든 배지 등 애니메이션 캐릭터 굿즈가 든 투명 플라스틱 케이스를 손에 들고 있었다. 매장 앞쪽의 공원은 팬들끼리 굿즈 교환을 하는 장소로 알려져 있고, 정기적으로 이케부쿠로에 오게 되는 이유이기도 하단다.

"일본인과 교환하는 일이 많지만, 다른 나라 사람과 주고받기도 해요."

그날의 공원도 그녀처럼 플라스틱 케이스를 들고 서

있는 사람, 땅바닥에 비닐 시트를 펼치고 굿즈를 늘어놓은 사람들로 넘쳐 나고 있었다.

휴일에는 100명을 훌쩍 넘는 모임이 되기도 해서 그들 사이에서는 '야생 애니메이트' 등으로 불린다. 애니메이트는 이와 같은 모임에 전혀 관여하지 않지만, 팬들 사이에서 자발적으로 생겨난 현상에 자연스레 이름이 사용될 정도로 침투해 있음을 알 수 있다.

아시아 각국에서 온 손님들을 위한 서비스에 대해 애니메이트 측에 문의해 보니 중화권에서 통용되는 신용카드인 '중국 은련카드'China Union Pay로 지불 결제가 가능하고 영어 및 중국어를 구사하는 직원이 상주한다고는 하나, 외국인 관광객을 의식한 특별한 매장 관리나 행사 등은 하지 않는다고 한다. 오히려 해외 관광객은 이런 점을 '본고장'의 매력이라고 느낄지도 모르겠다.

일본과 중국의 우호를 목적으로 출판 사업을 벌이고 있는 니혼교호샤에서 『덕후라고 불려도』라는 책이 나왔다. 일본어를 배우는 중국인 학생을 대상으로 한 글쓰기 콩쿠르의 우수작을 정리한 것으로, 1990년대에 태어난 'Z세대'의 'ACG(일본의 애니메이션, 만화, 게임을 총칭한, 중국어권에서 사용하는 신조어)'를 향한 뜨거운 마음이 담긴 책이다.

그들은 우정, 평화의 고귀함, 사람과 사회를 대하는 방법에 대해 스스로 답을 찾도록 도와준 것이 'ACG'라고 말한다. 어떤 글에는 중국 애니메이션을 '선생님', 일본 애니메이션을 '친근한 선배'에 비유하고 있다. 다른 글에서는 만화 주인공을 '마음속의 절친'이라고 표현한다. '일본의 만화, 애니메이션은 세계에서 통하는 최강의 콘텐츠이며, 거대한 수출산업이다.' 일본에서는 만화 등이 이렇게 비즈니스 관점으로 이야기되곤 하지만, 바다 건너에서 번역 작품을 받아들이고 있는 대상은 고민과 희망을 품은 한 사람 한 사람의 청년들이다.

일본의 만화산업도 잡지나 단행본의 매출은 하락하고, 요즘에는 스마트폰으로 전자책을 이용하는 스타일이 정착되고 있다. 그럼에도 애니메이트 매장 안을 둘러보는 사람들 모두 생기가 넘쳤다. 진열대 앞에서 즐겁게 이야기를 나누기도 하고, 생각에 잠긴 표정으로 상품 하나하나를 관찰하다 신중하게 고르는 손님도 있었다. 아시아 젊은이들을 끌어들이는 거대한 서점은 의외로 우리 집에서 30분 안에 갈 수 있는 곳에 있었다.

⑭

말부터 시작하는 오키나와

나하 · 시장 헌책방 울랄라

나는 오키나와를 좋아한다. 기후, 음식, 거리, 자연, 해변의 풍경, 현지인의 말투, 어딘가 여유로운 분위기…… 어느 것이 이유랄 것 없이 그저 기분이 좋다. 내가 살고 있는 도쿄와는 완전히 달라서 이국에 온 것 같은 자유로움을 느낀다. 이토록 편안하게 생각되는 이유는 며칠만 잠시 머물다 가는 여행자이기 때문일까?

여하튼 관광지로서 오키나와의 인기는 현재 점점 높아지는 것 같다. 오키나와현의 발표에 따르면, 2018년 1년간의 국내 관광객 수는 694만 명으로, 역대 최고였던 전년도의 685만 명을 경신했다. 2017년과 2018년에 방문한 나도 그중 한 명이다. 외국인 관광객 수는 290만 명으로, 이 역시 역대 최고였던 전년도의 254만 명을 대폭 경신했다. 참고로 외국인 관광객의 분포는 타이완 89만 명을 필두로 중국, 한국, 홍콩이 80퍼센트를 차지한다.

나하시의 중심가인 국제거리에서는 이 통계를 그대로 재현한 듯한 광경이 펼쳐진다. 동아시아계 사람과 그 밖의 여러 나라 사람들이 자연스럽게 뒤섞인, 그야말로 일본도 어느 나라도 아닌 미지의 장소와 같은 신비한 분위기가 느껴진다.

이 국제거리에서 '이치바혼도오리'市場本通り라는 시장 상점가로 들어와서 몇 분 걸어가면 '시장 헌책방 울랄라'라는 서점이 있다. 맞은편에 관광지로도 유명한 '제1마키시 공설시장'이 있어서 '시장 헌책방'이라는 이름이 붙었다고 한다.(제1마키시 공설시장은 노후화에 따른 재건축 공사 때문에 2019년 6월 17일 폐장하고, 같은 해 7월 1일부터 가설 시장에서 영업을 재개했다. 2022년 4월에 원래 장소에서 재개할 예정이다.) 책방 이름이 적힌 남색 간판은 크고 눈에 띄지만, 매장은 1.5평 정도로 자그마하다. 주변 가게와 마찬가지로 영업 중에는 책방 입구 길가에도 책장을 내놓고 진열하는데, 그것까지 합쳐도 3평 남짓밖에 안 된다.

서점 주인 우다 도모코 씨는 1980년 가나가와현에서 태어났고, 대학 시절 아르바이트 경험을 계기로 서점원에 뜻을 품고 2002년 준쿠도서점에 입사했다. 초기에는 이케부쿠로 본점(도쿄 도시마구)에서 근무했는데, 이 무렵 오키나와를 비롯한 전국 각지의 지역 출판물의 다채로움을 알게 되었다. 그녀는 회사가 나하에 새로 지점을 개점하자 스스로 나하 지점으로 전근을 자청해 2009년 4월 준쿠도서점 오키나와점 오픈 전에 오키나와로 이주했다.

나하점에서 부점장을 맡는 등 중심적인 역할을 맡았지만, '일본에서 가장 좁은 책방'으로 미디어에도 종종 소개되던 고서점 '도쿠후쿠도'가 문을 닫는다는 사실을 알게 되자 이번에는 그 후계자로 입후보한다. 결국 2011년 7월 준쿠도서점을 퇴사하고 같은 해 11월 11일 도쿠후쿠도가 있던 장소에 울랄라 서점을 오픈하게 되었다.

업계 최대 체인으로 1,500평이나 되는 대형 서점에서 1.5평짜리 헌책방 주인으로 변신한 모습은 적어도 옆에서 보기에는 상당히 소신 있는 결정이었다. 그렇게 울랄라는 개점 초부터 주목을 끌었다. 하지만 아직까지 우다 씨에게서 기세등등한 모습은 느껴지지 않는다.

"가게 앞에 멈춰 서서 책을 구경하는 손님에게 말을

걸어도 될지, 아직까지 손님 응대 부분에서는 망설이기도 해요."

친정집과 같은 준쿠도서점에서 소개했던 신간과 울랄라를 시작하면서부터 주로 취급하고 있는 구간과 고서는 매입부터 판매, 노하우에 이르기까지 전혀 다르므로 새롭게 터득해야 했다. 그리고 생활 면에서도 특유의 역사와 문화를 지닌 오키나와와 친해지는 방법을 여전히 찾고 있는 상태인 듯하다.

한편, 울랄라는 오키나와와 이웃 나라 사람들을 잇는 작은 가교 역할을 하고자 노력하고 있다. 2013년에 출간된 우다 도모코 씨의 첫 책 『오키나와에서 헌책방을 열었습니다』가 2015년 연말에 한국에서, 2016년 가을에 타이완에서 번역 출판되자 이 두 나라의 방문객이 부쩍 늘었다고 한다. 책을 읽은 후 자신을 만나고 싶어서 일부러 서점을 방문했다고 말을 걸어 주는 한국인과 타이완인이 최근 1년 사이에 200명도 넘었다고 한다.

2015년에 출간한 두 번째 저서 『책방이 되고 싶다』도 타이완에서 번역판이 나왔다. 우다 씨의 저서를 읽은 30대의 한 한국 여성은 무엇이 이웃 나라 사람들을 매료해 오키나와까지 그녀를 만나려고 방문한 사람이 많은지 이해할 것 같다고 말한다.

"우선 한국에는 오키나와라는 땅을 동경하는 사람이 많아요. 그런 오키나와에 자신의 의지로 이주해 책방까지 연 행동력이 너무 부럽습니다. 글에서 외지에서 온 사람이 오키나와를 제대로 알아 가려고 노력하는 열정이 전해져 공감할 수 있었습니다."

어쩌면 독자로서 저자와 함께 오키나와를 배우는 듯한 느낌이 드는 것이 아닐까.

울랄라에 대해 소개하면서 나 역시 오키나와에 한 걸음 더 다가가야겠다고 생각했다.

『오키나와여, 어디로』沖縄よ何処へ 복각판(이하 후유, 세카이샤, 1976).

앞서 첫 문장에 "오키나와가 좋다"라고 썼는데, '오키나와'라는 장소를 소개하려면 이 이야기부터 해야 한다. 예전에 한때 류큐왕국이라는 독립된 나라였던 오키나와는 태평양전쟁 말기 일본에서 유일한 지상전이 발발해 현민 12만 명과 미일 양국군의 병사를 포함해 20만 명의 사망자를 냈다. 1972년 일본에 반환되기 전까지 미국에 점령당했던 곳으로, 미군 기지가 밀집되어 있으며 지금도 여전히 헤노코의 미군 기지 건설을 위한 매립 문제를 시작으로 일본 정부와의 알력 다툼이 계속되는 곳이다.

내가 쓰려는 것은 어디까지나 서점 이야기이지만, 이러한 역사적·정치적 문제들도 빼놓을 수 없는 것이 현실이다. 어느 지역이나 역사가 있고, 정치적인 문제가 있다. 오키나와에 대해서만 과도한 관심을 쏟는 것은 바람직하지 않을 수도 있다. 다만 독자적인 경제권을 형성하는 오키나와는 현지에서만 제작되어 판매되는 이른바 '현산'縣産 책이 상당히 많다. 그 장르도 역사, 사회 문제 등에 대한 전문서부터 잡지, 소설, 생활 실용서, 심지어 연예인 화보집까지로 폭이 무척 넓다. 예를 들어, 오키나와의 서점, 출판 관계자에게 '오키나와 학문의 아버지'라고 불리는 이하 후유를 모르는 사람은 없지만, 본토의 서점에서 이 이름을 발견하기는 쉽지 않다. 음식이나 생활용품, 각종 지역 토산품과 마찬가지로 책도 삶에 밀접한 특산품이란 인식으로 접근하고 있는 것이다.

대부분의 서점은 오키나와에서 출간한 책이나 오키나와를 주제로 한 책을 매장에서 가장 눈에 띄는 장소에 진열하고 있다. 12월이 되면 큰 서점에서는 오키나와에서 제작한 수첩만 수십 종류가 쌓이기도 한다. 오키나와의 지리, 역사, 생활 습관 등을 종합적으로 알지 못하면 오키나와 서점인의 이야기를 이해하지 못할 가능성이 있다고 해도 과언이 아니다.

하지만 울랄라를 시작으로 한다면 오키나와 서점의 문턱을 살며시 넘을 정도는 될 수 있을 것 같았다. 우다 도모코는 원래 오키나와 사람이 아니었다. 이주자로서 오키나와 사람들만 모여 있는 상점가에 뛰어들어 책을 팔아 살아간다. 한국인이나 타이완인뿐만 아니라 심지어 일본인에게도 오키나와의 창구 역할을 하고 있는 것이다.

그는 저서에서 자신이 이주자임을 분명히 밝히고 있다. 오키나와 사람이 아닌 입장에서 오키나와 사람들을 호의적인, 그러나 냉정한 눈으로 객관성을 잃지 않고 바라보려 한다. 오키나와에서 생활하는 일상의 기쁨이나 당황스

러움을 하나하나 기억하며 확인하는 기록처럼 글을 써 내려간다. 그녀의 글에서는 한꺼번에 알려고 하지 않고 조금씩 느끼면서 체득하려고 하는 각오를 느낄 수 있다.

한국과 타이완에서 방문하는 손님이 늘어난 것은 우다 도모코 씨에게 기쁨인 동시에 새로운 고민이라고 했다.

"가게에 비치한 물건 중에 외국 사람들이 살 만한 물건이 적어요. 저를 만나러 와 준 것만으로도 무척 기쁘지만, 살 만한 물건이 없는 가게는 재미없지 않나요?"

본인 저서의 번역판을 포함해 외국어 책도 어느 정도 비치해 두었지만, 서점의 서가에 진열한 3천여 권의 책은 대부분 일본어 책이다. 손수 제작한 토트백이나 포스트카드 등도 준비는 되어 있지만 주력 상품은 아니다.

매장 배치를 보면 작은 규모에 최적화하려고 노력한 흔적이 보인다. 매장 입구 앞으로 밀려 나온 책장에는 문고판이나 신서, 오키나와에 대해 쉽게 배울 수 있는 책, 잡지 등 사진이나 그림이 눈에 띄는 책들을 비치했다. 몇 걸음 들어가면 닿는 매장 가장 안쪽은 책장으로 둘러싸인 좁은 방처럼 되어 있고, 그곳에는 오랜 세월이 묻어난 전문가들이 볼 만한 오키나와 책이 빼곡하게 진열되어 있다. 오키나와와 상관없는 주제의 일반서나 소설 등을 모아 놓은 코너

2017년 7월의 시장 헌책방 울랄라. 맞은편에는 개업 후 60년 이상 영업하고 있는 가다랑어 전문점 등 다양한 가게가 즐비하다.

도 있다. 출판사와 직접 거래해서 들여놓은 신간도 곳곳에 진열되어 있다. 3평 남짓의 작은 공간이지만, 종합적으로 여러 장르의 도서를 다루는 서점이다.

그런데 이러한 배치나 서가의 진열을 통해 책을 즐길 수 있도록 궁리한 서점인의 의도가 외국인 관광객에게는 잘 전달되지 않는 듯하다. 외국인이니 어쩔 수 없다고 말할 수도 있다. 하지만 예로부터 중화권이나 동남아시아와의 교류가 성행하고, 전후에는 미국과도 깊은 연관을 맺어 온 오키나와에서는, 특히 점주를 만나러 일부러 방문하는 외국인도 많은 울랄라에서는 대부분의 책이 단일 언어로 쓰여 있는 당연함이 때로는 장애가 되기도 한다.

2018년 6월, 우다 도모코 씨는 세 번째 저서로 『시장의 말, 책의 소리』를 출간했다. 제목처럼 '말'을 주제로 한 짧은 에세이가 여러 편 수록되어 있는 책이다.

이 책에는 손님으로부터 "당신은 '저패니즈'이고, 나는 '오키나완'(오키나와 토박이를 일컫는 말)"이라고 차별당하면서 그 의미를 되새겼다는 이야기, 오키나와에서는 '덤'을 의미하는 말을 '시분'シーブン이라고 하거나, '이제 곧 나갑니다'라는 시간 개념이 없는 표현의 메일을 자주 받는다는 등의 이야기, 현지에서 나고 자라지 않은 자신이 오

키나와를 '현지'라고 할 수 있을까에 대해 고민하는 이야기 등이 잘 엮여 있다. 또 가게가 닫혀 있을 때 써 놓고 간 한국어 메모에 대한 이야기, 서점으로 찾아온 타이완인과 대화하던 중에 왼손잡이라는 공통점을 발견한 이야기 등 인상적인 에피소드가 이어진다.

그녀에게 '말'이란 자기표현의 도구이기 전에 세상이나 삶의 방식을 생각하는 계기가 아닐까?

세 권의 책을 집필할 정도의 필력이라면 서점을 하지 않아도 작가로서 다양한 이야기들을 얼마든지 쓸 수 있지 않느냐고 매장에 나란히 앉아 물었다. 그런데 그는 이 장소

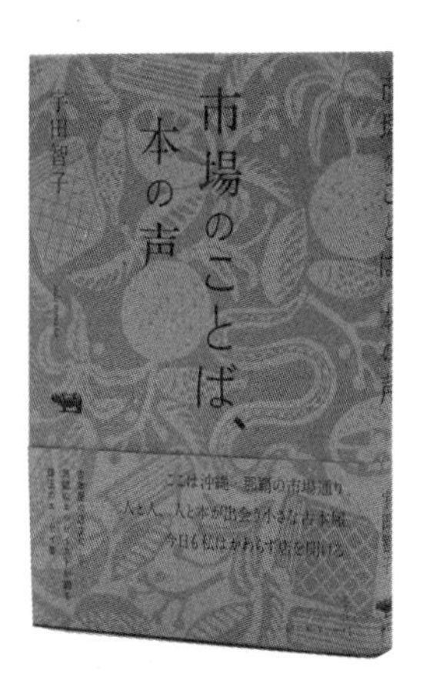

『시장의 말, 책의 소리』(쇼분샤, 2018)

가 없었다면 쓸 수 없었을 것이라고 겸손하게 말한다. '말'의 연결로 만들어지는 '책', 그 책을 다루는 '책방'을 하는 것이란 그가 오키나와에서 살아가야 할 이유가 되어 있는 듯했다.

오키나와 서점의 서가를 보면 도쿄를 포함한 본토에서는 거의 볼 수 없는 단어나 인명이 무척 많다는 것을 알 수 있다. 예를 들어, '류큐호'琉球弧라는 단어를 제목으로 사용한 책이 종종 눈에 띈다. 규슈 최남단에서 오키나와 본섬, 사키시마 제도, 타이완에 이르기까지를 하나의 열도로 보는 류큐제도의 옛말인데, 국경이나 행정상의 구분과는 다른 지역이라는 인식이 지금도 여전히 남아 있음을 알 수 있다. 오키나와는 일본의 한 현이면서도 일본이라는 틀을 뛰어넘어 동아시아의 한 지역이기도 한 것이다. 따라서 일본답지 않은 면모가 사뭇 많다.

그나마 다행인 것은 표지판도 간판도 일본어로 쓰여 있어서 외국어를 접하는 것보다는 훨씬 편한 '이국'으로 느껴진다는 점이다.

일단 서점에 가서 서점인에게 배워서, 읽을 수는 있지만 몰랐던 말들을 느껴 본다. 그렇게 오키나와를 알아 가는 것도 나쁘지 않을 것 같다.

⑮

이웃 나라에 전해진 애매한 말

도쿄 · 이와나미북센터

2016년 10월 12일 아침, 도쿄 진보초에 있던 이와나미북센터의 시바타 신 씨가 86세의 나이로 갑자기 돌아가셨다. 그는 1965년 도쿄 이케부쿠로에 있던 호린도서점의 서점원이 되었고, 1978년에 이와나미북센터(당시에는 이와나미출판사 도서를 판매하는 서점)로 이적했다. 2000년에는 대표가 되어 돌아가시기 전날까지 서점을 지켰다. 그를 흠모했던 출판사, 서점 관계자는 수없이 많다. 나 역시 그중 한 사람으로, '책방'을 주제로 한 시바타 씨와의 대화를 『시바타 신의 마지막 수업』이라는 책으로 엮기도 했다.

2016년 7월에 한국어 번역서가 나오자 한국의 『한겨레신문』 기자가 진보초까지 찾아와 시바타 씨를 인터뷰하고 특집 기사를 냈다. 내가 서울과 부산의 서점에서 출간 기념 토크 이벤트 진행을 부탁받았을 때도 현지의 서점인들로부터 시바타 씨와 함께 왔으면 좋았으리라는 말을 들었다. 그들은 만난 적도 없는 이웃 나라의 한 서점주에게 강한 관심과 애착을 보였다. 그 이유를 몇 가지 생각해 볼 수 있다. 무대가 된 진보초가 '세계 제일의 책거리'로 한국에서도 유명하다는 점, 역시 한국에서 지명도가 높은 출판사인 이와나미서점의 이름을 딴 서점이라는 점, 한국에서는 보기 드문 80대의 현역 서점원이라는 점, 특히 내가 한국 독자에 대해 인상이 깊고 다소 신기했던 점은 중간 중간 언급했던 '보통의 책방'이라는 말에 대한 반응이었다.

『시바타 신의 마지막 수업』에서 시바타 씨는 종종 "책방은 '보통'이면 된다. 나는 줄곧 그렇게 생각해 왔다"라고 말한다. 쉽고도 참으로 모호한 말이다. 그 의미를 생각하는 것이 이 책의 가장 기본이 되는 주제이지만, 사실 지금도 한마디로 설명하기는 어렵다.

그런데 한국 서점원들은 "시바타 씨가 말하는 '보통'에 공감했다", "나도 그처럼 '보통의 책방'을 해 나가고 싶다"라고 확신을 가지고 말한다. 시바타 씨와 나 사이에 있던 벽을 그들은 시원하게 넘어 버린 것이다. 나라와 언어가 달라도 서점원 사이에는 통하는 무언가가 있는 것 같았다.

'인터넷이 서점에 미친 영향 등 세계 공통의 주제도 많고, 이제는 해외 서점 이야기가 동떨어진 이야기가 아니다. 그렇다면 일본을 포함해 각국의 서점원을 통해 아시아를 알고 생각해 보면 어떨까?'

'서점이 아시아를 잇는다'는 아이디어는 시바타 씨와 한국의 서점원들로부터 얻은 것이라고 해도 과언이 아니다.

시바타 씨가 돌아가신 지금, 한국의 독자와 시바타 씨가 만날 기회는 영원히 사라졌다. 이와나미북센터도 오랜 경영난이 드러나면서 그의 서거 후 불과 한 달여 만에 파산했고, 서점의 존폐 여부에 대한 수많은 물음과 말들만 남아 있다.

거듭 생각해 보면 궁금한 점이 몇 가지 있다.

시바타 씨는 20대에 읽었던 마오쩌둥의 저서에서 받은 영향에 대해서 수차례 언급했으며, 호린도서점에서 점장으로 일하던 40대 무렵에는 한국과 북한 관련 서가를 담당하던 시기가 있었다. 본인은 중국이나 한국에 가 본 적도 없고, 특별히 관심을 가지고 연구한 흔적도 없다. 하지만

'보통'이라는 말이 한국의 서점원에게 자연스럽게 받아들여진 것은 어쩌면 이러한 시바타 씨의 경력과 관련이 있는 것은 아닐까?

예전에 시바타 씨로부터 들었던 독서 편력에 대한 메모를 바탕으로 몇몇 문헌을 다시 살펴보았는데, 그가 집착했던 '보통'이 중국이나 한국에서 유래된 책에서 찾아낸 말일 가능성을 발견하지는 못했다. 실제로 구체적인 토대를 가지고 '보통'이라는 말에 집착한 것이 아니라, 반세기에 걸쳐 서점을 해 온 경험에서 나온 감각적인 표현이었던 것 같다.

'보통'에는 '보편적으로 넓게 통하다'라는 의미가 있다. 시바타 씨와 같은 철학을 이야기하는 서점이 바다 건너에도 있을까? 언젠가 그런 서점을 만난다면 나는 비로소 '보통'의 의미를 알 수 있을까?

⑯

광고판 한 장의 위력

도쿄 · 구마자와서점 미나미센주점

다음 사진은 2017년 10월 구마자와서점 미나미센주점(도쿄 아라카와구)에서 발견한 광고판인데, 소설 『한가운데의 아이들』에 덧붙인 문구이다. 일본인 아버지와 타이완인 어머니를 둔 주인공이 중국어를 배우려고 유학하던 시절을 그린 이 책은 제157회 아쿠타가와상 후보에 올랐다. 그러나 심사위원의 평가는 전체적으로 낮아 낙선했다. 또한 심사위원 중 한 명인 미야모토 테루의 "일본인 독자에게는 남의 이야기일 뿐 공감이 가지 않고 지루하다"라는 심사평을 저자가 트위터에서 비판하자 인터넷상에서는 찬반양론이 난무했다.

“읽어 볼까 하고 생각해 주는 사람이 조금이라도 있다면…….”

점장 아쿠츠 다케노부는 광고판을 붙이게 된 의도를 그렇게 설명했다. 아쿠타가와상 후보작은 매회 모든 작품을 훑고 있는데, 온유주의 작품도 데뷔 초부터 주목해 왔다고 한다.

“저 스스로가 선긋기나 배제를 하지 않고 여러 책과 만나고 싶은 타입이거든요. 손님들께도 폭넓고 다양한 책을 소개할 수 있는 책방이고 싶어요. 다만 서점으로서 이번 심사평에 대한 찬반 견해를 드러내는 것은 어려운 문제이

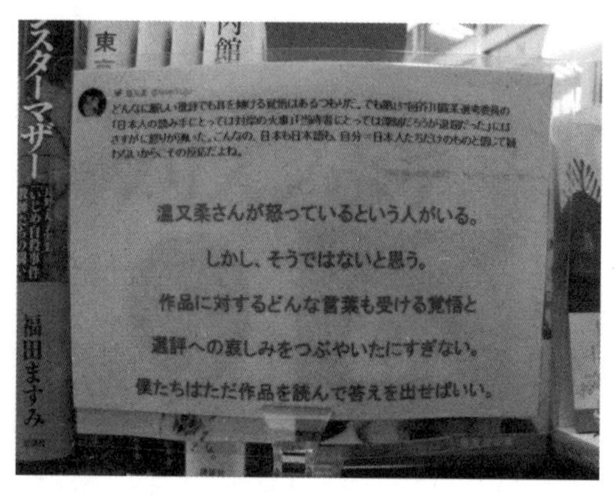

구마자와서점 미나미센주점의 『한가운데의 아이들』 광고판. 점장 아쿠츠 다케노부는 다양한 장르의 도서 소개글을 직접 쓴다.

지요. 광고판에 어떤 말을 쓸지 망설였어요."

책을 고르는 대상은 손님이며 서점의 역할은 작품과 독자의 만남을 이어 주는 것. 자신의 의견을 표명하기보다 저자의 의도를 나름대로 파악해 "우리는 단지 작품을 읽고 스스로 답을 얻으면 된다"라는 마지막 한 문장에 소신을 담았다.

이 서점에서 『한가운데의 아이들』을 구입해 읽어 보았다. 주인공과 주인공의 친구는 일본, 타이완, 중국이 뒤섞인 '어느 나라 사람도 아닌' 자신의 존재 자체의 애매함과 각각의 입장으로 서로가 마주한다. 굴곡 있는 드라마틱한 스토리가 펼쳐지는 것은 아니다. 배우고, 놀고, 사랑하는 젊은이들의 일상이 일본어, 중국어, 타이완어로 뒤섞여 그려져 있다.

내가 이 책을 읽는 데 도움이 되었던 것은 얼마 전 오키나와의 고서점에서 구입했던 『아침, 상하이에 서서』였다. 1901년에 상하이에서 설립되어 1945년 일본 패전까지 존재한 일본인 유학생 학교 '동아동문서원'을 무대로 한 소설이다.

주인공은 오키나와에서 파견된 유학생으로, 동급생인 '본토' 일본인 혹은 일본 점령지에서 파견된 조선인, 타이완인, 나아가 현지 중국인과도 어울리며 오키나와 출신인 자신의 정체성에 대해 계속 고민한다. 아쿠타가와상 수상 작가이기도 한 저자의 실제 경험이 바탕이 된 작품으로, 단행본은 1983년에 고단샤에서 출간되었다.

두 작품의 공통점은 상하이를 무대로 하고 있다는 점과 다양한 국적의 젊은이들의 일상과 심리 묘사에 중점을 두었다는 점이다.

다른 것은 시대 배경이다. 『아침, 상하이에 서서』의 배경은 일제가 동아시아를 점령한 시대이고, 『한가운데의 아이들』의 주인공은 현재 시점에서 그 시절을 종종 상상한다. 결국 이 작품은 이중 국적을 가진 젊은이의 '일상'의 버거움을 전하고 있다. 한편으로, '어느 나라 사람도 아닌' 이 점을 살려 국경을 자유롭게 왕복하며 살 수 있는 시대가 된 점을 표현하기도 한다.

아시아에 대해 알아보고 생각하는 데 중요한 책이 하나 더 늘었다고 생각한다. 계기는 좋은 책을 소개하고자 고군분투하는 서점이 쓴 한 장의 광고판이었다. 이하는 후일담이다.

어느 날 밤, 『한가운데의 아이들』을 다시 읽으려고 사무실을 뒤졌다. 그런데 난잡하게 쌓아 올린 책과 자료를 아무리 뒤져도 찾을 수 없었다. 같은 시기에 구입한 책은 있고, 『아침, 상하이에 서서』도, 심지어 온유주의 다른 작품도 나왔는데, 유일하게 『한가운데의 아이들』만 없는 것이다. 도대체 어디로 간 걸까? 하늘을 우러러보던 순간 생각났다. '한국에 있었지!'

2017년 11월, 한국 남단의 항구도시 통영에 자리한 '남해의 봄날'이라는 출판사로부터 연락이 왔다. 『시바타 신의 마지막 수업』의 한국어판을 출간한 출판사로, 서점도 함께 운영하고 있는 곳이다.

"이번에 서점 매장을 개장改裝하게 되었어요. 저희와

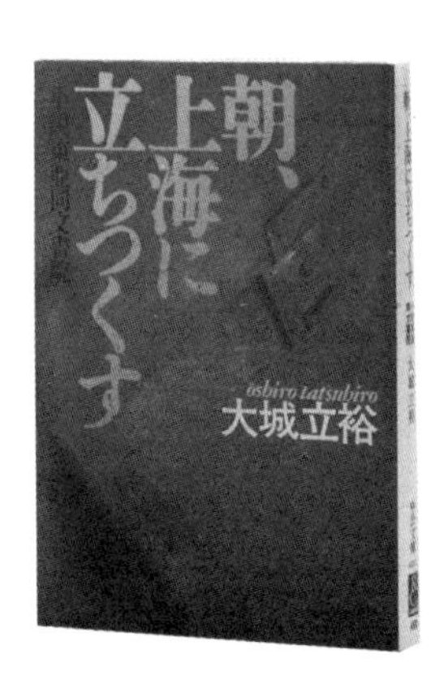

『아침, 상하이에 서서』(오시로 다츠히로, 추코문고, 1988)

인연이 있는 작가들에게 '추천 책' 다섯 권을 소개받는 특별 코너를 마련할까 합니다. 이시바시 씨도 함께 참여해 주시지 않겠어요? 선별 기준은 작가님께 맡길게요. 일본 원서의 경우 입고가 어려우니 직접 보내 주시면 도움이 될 것 같습니다. 한국에서 번역되지 않은 작품이라도 괜찮습니다."

어쩐지 반갑고 즐거운 부탁이다. 신중한 고민 끝에 다섯 권을 골라 각각 짧은 소개문을 붙여 보냈다.

거기에 『한가운데의 아이들』도 포함했다. 타이완 태생으로 일본에서 자란 저자가 국경을 넘나드는 현대 젊은이를 그린 소설을, 한국의 바다 마을 서점에 두게 된다면 근사하겠다고 생각했다. 그 밖에 고른 책 중에는 미야모토 테루의 단편집 『오천 번의 생사』도 있었다. 10대 때 읽었던 잊을 수 없는 소설 중 하나여서 선택했다. 이런 연유로 『한가운데의 아이들』의 아쿠타가와상 낙선을 둘러싼 일련의 논쟁을 보고 조금 복잡한 기분이 들었다.

기일이 다가오자 급한 마음에 서둘러 방 책장에서 포스트잇이 잔뜩 붙은 『한가운데의 아이들』을 그대로 보내 버렸다. 광고판 한 장이 한 권의 책을 도쿄 미나미센주에서 바다를 넘어 통영까지 여행을 떠나보냈다.

⑰

미래를 구상하기 전에

나고야 · 시마우마쇼보

"이거 읽으셨나요?"

나고야의 헌책방 시마우마쇼보의 스즈키 하지메가 내게 건넨 책은 『식민지 시대의 헌책방들』이었다. 그는 나의 관심 주제를 대략 파악하고 있어서 갈 때마다 관련된 책을 보여 준다. 열심히 일하는 서점의 입장에서는 어쩌면 일상적인 작업이겠지만, 받는 입장에서 생각해 보면 상당히 황송한 일이다.

『식민지 시대의 헌책방들』은 일본 점령기 시대의 사할린, 타이완, 조선, 만주, 중화민국에 건너가 영업을 했던 일본 헌책방의 기록이다. 신간을 취급하는 서점이나 출판업, 유통업에 대해서도 조금씩 소개되어 있다. 1945년 일본의 패전과 혼란으로 흩어져 사라진 역사 자료를 정성껏 수집해 서점 역사의 공백 부분을 메운 노력의 결실이다.

특히 각 도시의 일본인 서점 지도를 최대한 재현해 표기한 점은 고마울 정도다. 점령지에서 영업한 서점이라고 하면 앞서 소개한 상하이 소재의 우치야마서점이 가장 잘 알려져 있는데, 이 시대는 주요 도시 곳곳에 몇 개에서 몇십 개에 이르는 많은 일본인 서점이 있었다. 도시에 따라서는 이치카이(헌책방끼리의 책 매매)도 열리고 일본에서 책

『식민지 시대의 헌책방들: 사할린, 타이완, 조선, 만주, 중화민국: 공백의 서민 역사』(오키타 신에츠, 주로샤, 2007)

을 사러 오는 업자도 많았다고 한다. 전쟁 중인 동아시아는 책 장사를 하는 사람들에게도 매력적인 시장이었던 것 같다.

이 책은 어느 동네 어디 근처에 어떤 가게가 있었다는 사실 확인에 중점을 두고 있으며, 당시 바다 건너에 있던 일본 서점들이 현지인이나 현지 손님들과 어떻게 어울렸는지를 그린 에피소드는 드물다. 하지만 눈길을 끄는 대목이 곳곳에 있다.

예를 들어, "이러한 외지의 서점에서는 책이나 잡지 이외에 문구, 그림엽서, 당시 도시 지도, 안내문, 연감, 풍속 사진, 스탬프 수첩 등을 취급하는 것은 당연했다. 게다가 그것들이 제법 팔렸다"고 적혀 있다. 우치야마서점은 손님에게 일본 차를 제공하거나 토크 이벤트를 개최하기도 하는 등 단순히 책만 파는 곳은 아니었는데, 마찬가지로 여러 물건을 판매하는 다채로운 매장 운영이 그 당시 많은 서점에서도 보였던 특징임을 알 수 있다.

또 베이징에서 영업하던 분큐도의 다나카 게이타로라는 인물은 우치야마 간조와도 각별한 사이였으며, '혁명 시인'으로 알려진 궈모뤄(1892~1978. 중화인민공화국의 문학가, 정치가, 극작가)의 활동을 지지했다고 한다. 현지 작가나 서민과 친밀한 관계를 맺었던 서점의 흥미로운 이야기는 아마도 곳곳에 묻혀 있을 듯하다.

현재 일본 출판업계에서 동아시아 시장은 번역 출판권의 판매처로, 만화나 애니메이션은 국제 시장을 겨냥한 사업 전개가 주를 이루고, 소설 등의 출판 번역도 성행하고 있다. 심지어 소규모 출판사에서도 동아시아 각국으로부터 번역 제안이 드물지 않게 들어온다.

서점업계에서는 '애니메이트'를 필두로 만화, 애니메이션 전문점이 해외에 진출해 인기를 얻고 있고, 기노쿠니야서점이나 준쿠도서점 등도 타이완이나 홍콩에 입점했다. 또한 기노쿠니야서점은 한국의 대형 서점 교보문고와 제휴하고 있다. 2019년 가을에는 타이완의 청핀서점이 대형 서점 유린도와의 제휴로 일본에 첫 지점을 개점했다.

이와 같은 변화로 '서점인'들 사이의 교류도 보다 활발해질 것으로 보인다. 서울과 타이베이의 서점과 출판 관계자들을 두루두루 소개했던 우치누마 신타로와 아야메 요시노부가 쓴 『책의 미래를 찾는 여행 서울』과 후속 타이완편이 주목을 끈 것을 비롯해 한국에서는 서점 순례를 주제로 한 도쿄 여행서가, 중국에서는 일본인 저자가 중국인을 대상으로 도쿄의 서점을 소개한 『잘 지내나요? 도쿄 책방』

이라는 책이 출간되었다. 이러한 책의 출간을 계기로 토크 이벤트, 북 이벤트 등도 활발히 열리고 있다. 2019년 6월에는 타이완의 소규모 서점을 개업 연대별로 소개한 『서점본사』 일본어판도 출간되었다.

빈번한 국가 간의 갈등을 뒤로하고 서점이 활발한 민간 교류를 상징하는 존재가 되리라는 예감이 든다. 지금까지 지켜본 결과로는 서로 고민이나 과제 등 공유할 수 있는 주제가 많고, 적어도 현재로선 이해나 감정 면에서 대립할 만한 요소도 보이지 않는다.

무엇보다 나 자신은 '서점인'을 실마리로 삼아 각국 곳곳의 역사, 일본과의 관계사에 대한 관심이 깊어졌다. 우선 과거 그리고 현재와 미래를 차례로 알아 가고 싶은 마음이다. 『식민지 시대의 헌책방들』에 손이 가는 이유도 분명 그 때문일 것이다.

⑱

5·18의 사상적 지도자

한국·민주화와 서점 (1)

2017년 11월 한국 서울에서 광주, 여수, 부산을 이동하며 여행했다.

"우리와 함께 광주에 가지 않을래요?"

여행은 책거리와 쿠온 대표 김승복 씨의 전화로 시작되었다. 11월 11일부터 14일까지 '문학과 함께 여행하는 한국 광주·여수 편'이라는 투어를 기획해 쿠온에서 일본어로 번역 출간한 『소년이 온다』(한강 저, 이데 슌사쿠井出俊作 역)에서 그려진 '5·18 광주민주화운동(이하 5·18)'이 일어났던 옛터를 돌아본다고 한다. 조만간 다시 서울의 서점 몇 곳을 방문하고 싶었던 때여서 나로서도 좋은 타이밍이었다.

막연하게 생각한 곳은 독립출판물을 다양하게 취급하는 가게였다. 상업적인 확대를 도모하지 않는 인디 잡지나 서적은 그 나라 출판의 저변과 언론 또는 표현의 자유의 강도를 나타낸다. 이 점을 의식하면서 운영하는 서점을 만나 보고 싶다고 생각했다.

타이베이에서는 특별히 인디 전문이 아니더라도 방문했던 모든 소규모 서점에서 이러한 의식이 느껴졌다. 일본에서도 모사쿠샤(도쿄 신주쿠)나 타코셰(도쿄 나카노)와 같은 전문점도 있고, 그 중요성을 잘 드러낸 서점이 적

『소년이 온다』(한강 저, 이데 슌사쿠 역, 쿠온, 2016)

지 않다. 한국에서는 그동안 만나 보지 못해서 아쉬웠는데, 아마도 내가 찾아내지 못해서였으리라는 생각에 더욱 궁금했다. 사실 2016년 서울에서 인디 잡지만 취급하는 서점에 간 적이 있다. 마침 주인이 부재중이라 이야기를 나눌 수 없었는데, 그 서점을 다시 방문해 볼까도 싶었다.

그래서 김승복 씨가 권유해 준 투어에 개인적인 서점 투어 계획도 함께 넣었다. 투어 일행은 첫날 하네다공항에서 모여 김포공항에 도착해 다시 국내선으로 갈아타고 광주로 들어간다고 한다. 나는 서울에 먼저 도착해 개인 일정을 보내고 김포공항에서부터 투어에 합류하기로 했다.

'책과 사회 연구소' 대표이자 출판 저널리스트 백원근 씨에게 인디 출판물을 취급하면서 언론과 표현의 자유에 대한 생각을 이야기해 줄 서점에 데려다 줄 수 없냐고 물어봤다. 그는 한국과 일본 출판업계에 정통하고 일본어에 능통해서 앞서 소개한 '숲속작은책방'에 동행해 주기도 했다. 그에게는 그동안 여러 번 신세를 졌다. 곧바로 "생각나는 서점이 몇 군데 있다"는 대답이 돌아왔다.

"대학 근처에 있는 인문·사회 도서 전문 서점이에요. 1980년대를 정점으로 계속 줄어들고 있지만, 지금도 영업하고 있는 곳이죠."

"그런데 한국은 언론과 표현의 자유에 대한 집착이 강한 편인가요?"라는 나의 물음에 그는 이렇게 대답한다.

"물론이죠. 한국은 민주화를 위해 싸워 온 나라니까요. 국가에서 금지 도서로 삼고 있는 책을 팔다가 구속된 서점도 더러 있어요."

그의 머릿속에 떠오른 곳은 내가 상상하는 곳보다 다소 강경한 서점이라는 생각이 들었지만, 그래서 좋았다. 듣는 순간 꼭 만나야만 할 것 같았다. 지금까지 그에게 한 번도 그런 서점 이야기를 들어 본 적이 없었는데, 어쩌면 내가 관심을 둘 때까지 기다려 준 것인지도 모른다는 생각이 들었다.

그 광주 투어에 30명가량이 참여했고, 일행은 서울에서 국내선을 타고 광주로 향했다. 한 시간 남짓 비행한 끝에 광주에 도착한 일행은 그날 밤 한 서점에서 현지 출신 작가인 한승원 씨의 강연을 들었다. 둘째 날은 사건의 발생지인 전남대 정문 앞, 광주 시민 20만 명이 집결해 정부군과 맞섰다는 광장, 시신이 안치된 건물, 희생자 묘지 등을 둘러보았다. 당시 전남대 학생이었던 사람들이 가이드 역할을 해 주었다. 정부군에 연행된 사람들의 수용소 자리에는 흑백사진 액자가 빼곡하게 전시되어 있었다. 병사에게

폭력을 당하는 사람, 팔이 뒤로 묶인 채 길거리에 누워 있는 사람, 늘어진 시체 등 사진은 모조리 검디검은 색으로 물들어 있었는데, 그만큼 피로 뒤범벅된 상태였음을 감히 짐작할 수 있었다.

또 한 가지 인상에 남은 것은 싸움에 직접 가담하지 않은 사람들이 오랜 세월 품었을 상처, 자책, 회한의 감정이었다. 첫날 강연자였던 한승원 씨도 그중 한 사람이다. 원래는 민주화운동에 참여하고 있었지만, 자신은 활동가가 아닌 작가라고 여겨 생활의 터전을 바꿔 서울로 이주한 상

1980년 광주민주화운동 사진집 『오월광주』(가톨릭 광주교구 정의평화위원회 편, 1987)

황에서 5·18이 일어났다는 것이다. 고향 사람들과 연락도 되지 않는 상태가 계속되었고, 비극의 전모를 알게 되는 데는 상당히 오랜 세월이 필요했다고 한다. 목숨을 잃은 사람, 그 후 사는 내내 고통을 겪어 온 사람에 대한 속죄 의식으로 인해 그는 기회가 있을 때마다 이야기꾼 역할을 맡고 있는 것 같았다.

마을 곳곳에 기념비나 부조가 세워져 있고, 5·18은 광주의 상징이 되어 있었다. 다른 한편으로는 고층 아파트와 호텔이 즐비하고 사람과 차가 시끄럽게 오가는 지극히 보통의 모습을 한 도시였다. 1980년과 현재가 공존하는 것 같은 신기한 느낌이 드는 곳이었다.

이 투어를 기획하고 한국과 일본의 여행사와 함께 진행을 주도한 당사자는 김승복 씨다.

이 투어를 기획한 데는 과연 어떤 의도가 있었을까? 궁금해서 물었다.

"나도 5·18에 대해 모르는 것이 많았거든."

그녀는 태연하게 말했다. '문학으로 여행하는 한국 투어'는 이번이 두 번째로, 2016년에는 쿠온이 일본어판을 출간하는 박경리 작가의 20권짜리 대하소설 『토지』의 무대인 통영 투어를 진행했다. 그때 '다음에는 광주에 가자'

고 일찍부터 생각했다고 한다.

"끔찍한 사건이지만, 나는 이 역사를 부끄럽다거나 숨기고 싶다고 생각하지는 않아요. 비슷한 사건이 다른 여러 나라에서 일어나기도 했고, 또 앞으로도 일어날지도 모르니까요. 광주가 과거를 제대로 배울 수 있는 장소가 되고 있는 것은 좋은 일이라고 생각해요. 저는 한국인이지만 일본 생활을 오래했다 보니 저부터 새롭게 배울 기회가 되었습니다."

이번 투어의 교과서이기도 한 『소년이 온다』를 저술한 한강은 1970년생으로, 『채식주의자』로 2016년에 영국의 맨부커상을 수상했다. 한국에서 저명한 소설가인 그는 작가 한승원 씨의 딸이다. 『소년이 온다』는 한강 작가가 열 살 때 고향에서 벌어진 일을 그린 이야기다.

등장인물들은 5·18에 연루되었다는 이유로 목숨을 잃거나 경찰서, 교도소에서 끔찍한 고문을 당해 그 후 파괴된 인생을 살아간다. 가슴 저미게 슬프고 답답한 이야기지만, 어쩐지 읽다 보면 쾌락을 맛보게 하는 소설이기도 하다. 아름다운 선율이 흐르는 공간에 계속 갇혀 있는 것 같아 책장을 넘기는 손을 멈출 수가 없었다.

5·18은 그동안 '고발'의 형태로 전해져 왔다. 하지만

『소년이 온다』의 저자와 역자의 필력을 통해 '진혼'이 더해졌다고 김승복 씨는 말한다.

이번처럼 단체로 이동하는 투어에 참가한 것은 고등학교 수학여행 이후 처음이었지만, 짧은 시간에 여러 장소를 방문해 지금까지 잘 알지 못했던 5·18에 대해 배우게 된 것은 행운이었다.

무엇보다 나에게 이 투어의 클라이맥스는 따로 있었다. 당시 광주에서 서점을 운영하던 인물을 만나게 된 일이다.

참가자들에게 나눠 준 광주의 가이드 맵에 '녹두서점 옛터'라고 적힌 장소가 있었다. 투어 둘째 날 점심 식사 때 현지 안내인 안종철 씨가 앞에 있어서 넌지시 물었다. 그도 당시 전남대학교 학생이었다고 한다.

"지도에 있는 '녹두서점'은 5·18과 관계가 있습니까?"

그러자 그때까지 편안했던 그의 표정이 갑자기 굳어졌다.

"관심이 있으신가요?"

"네, 서점에 대해 쓸 일이 많아서요."

"녹두서점은 잊지 말아야 할 중요한 이름 중 하나입니다. 서점 주인은 5·18에 앞장섰던 학생들의 사상적 지도자였습니다."

"사상적 지도자라…… 어떤 식으로요?"

"그는 민주화를 지향하는 학생들이 읽어야 할 책을 구해서 싸게 팔고 있었습니다. 어느 것 하나 구하기 쉬운 책이 아니었죠. 금지 도서였으니까요. 학생들은 녹두서점에 모여 독서 모임을 갖고, 토론을 하면서 함께 생각하고 민주화에 대해 알아 갔습니다. 학생들은 녹두서점 주인에게 많은 것을 배웠어요."

서점이 5·18에 깊이 관여하고 있었던 것이다.

"다만 그는 5·18의 현장에는 없었습니다."

"왜죠?"

"그 전날에 체포되었거든요."

"아아……."

"그를 만나고 싶으신가요?"

"네, 지금도 건재하신가요?"

안 씨는 말이 끝나자마자 바로 휴대전화를 꺼내 약속을 잡았다.

그리고 이틀째의 투어 여정을 마친 후 저녁 식사하러 들어간 레스토랑에 그가 찾아와 주었다. 이름은 김상윤 씨. 1948년생으로 보통 체구에 머리는 약간 귀에 걸릴 정도로 길었다. 온화한 미소를 짓고 있었지만, 그동안 수많은 아수라장을 헤치고 왔을 법한 그늘이 느껴지기도 했다.

서점 이름의 '녹두'란 연두색을 띤 콩을 말한다. 1894년, 현재의 광주와 가까운 지역에서 지배층의 횡포와 착취에 농민들이 일제히 항거한 '갑오농민혁명'이 일어났다. 혁명의 지도자였던 전봉준은 자그마한 체구 때문에 '녹두장군'이라고 불렸다. 혁명 이듬해에 형사한 후 한반도에서는 민요로도 전해지고 있는 영웅이다. 그 후 녹두 자체가 민중의 상징이 되었다고 한다.

녹두서점이 영업을 한 것은 1977년부터 1981년까지 불과 4년 동안이다. 전남대학교 재학 때부터 민주화운동에 앞장섰던 그는 중퇴를 하고 나서 몇몇 후배들과 함께 노동, 경제, 사회주의 등에 대해 공부하는 소모임을 가졌다. 점차 배움을 요구하는 젊은이들의 수는 늘어났고, 모임 공간을 마련하고자 한 것이 서점을 열게 된 동기라고 한다.

그렇게 시내에 10평 남짓의 서점을 열게 되었는데 학창 시절부터 수차례 체포되면서 일자리가 마땅치 않던 그에게는 생계를 위한 유일한 수단이기도 했다.

당시 한국에서는 정부를 비판하는 책이나 사회주의 사상에 대한 책은 물론, 민주화 열망을 부추길 것으로 보

광주 녹두서점의 옛터에 세워진 조형물. 서점 이름 아래에 영문으로 'Location of Resistance Plan(저항 계획이 이루어진 장소)'이라고 적혀 있다.

이는 내용의 책은 무조건 발행이 금지되었다. 그럼에도 몰래 출판하는 사람들이 있었고, 그는 그 책들을 입수해 학생들과 젊은이들에게 제공했다. 일본 책도 많이 나돌았는데, 『현대의 휴머니즘』 등 몇 권을 소모임에서 교과서로 삼았던 걸로 기억한다고 한다.

어느 것도 서점 밖에 진열해 판매할 수는 없었다. 서점 매장 안에는 그림책이나 일반 소설 등을 진열해 두었다.

"동네 아이들에게는 작고 오래된 평범한 서점으로 보였겠지요. 서점 일은 힘들기도 했지만 즐거웠어요. 경영은 안정된 편이어서 학생들이 활동 비용이 필요하면 마련해 줄 정도의 협조는 가능했지요."

정부가 전국에 비상계엄령을 내렸던 1980년 5월 17일, 그는 경찰에 체포되어 투옥됐다. 체포 이유는 국가 전복을 도모했다는 내란죄였다. 군사정권과 대립한 정치인으로 1998년에 취임한 김대중 전 대통령을 필두로 한 조직으로부터 김상윤 씨와 그 동료들에게 자금이 흐르고 있고, 그 자금이 학생 운동가에게 전달된다는 것이었다.

"심증이 있던 것은 아닌가요?"

"진짜 엉터리입니다. 김대중은 물론 그 어떤 정치가도 만난 적이 없어요."

아내를 비롯한 그의 친족 다섯 명도 연행되었다. 먼저 석방된 아내가 서점을 재개하고 동료들의 협조를 받아 영업을 이어 갔으나, 주인이 없는 서점은 오래 지속되지 못했다.

당시에는 민주화운동을 추진하는 전국적인 네트워크가 있었는데, 녹두서점은 서울, 부산, 대구 등 각지의 조직과 정보를 나누는 거점이 되었다고 한다. 단지 책을 팔기만 하는 서점은 아니었음이 분명했다.

개업 직후부터 경찰이 손님의 출입을 감시하고 있었다는 사실도 이미 알고 있었다고 한다.

"그럼 언젠가 체포될 것을 각오하고 서점 영업을 계속했단 말인가요?"

"서점을 시작하기 전부터 이미 체포된 적이 있었고, 또 구속되었다 풀려나면 조금 지나서 다시 체포되는 일이 비일비재해서 그런 상황에 익숙했던 것도 있었겠지요."

그는 서점 영업을 접고 나서 한동안 의료기기 회사에서 근무했다고 한다. 현재는 민주화운동가 '윤상원 기념 사업회'라는 조직에서 5·18을 기리고 후세에 전하는 활동을 하고 있다. 윤상원은 민주화운동 당시 시민군을 대표한 사람으로, 5월 26일에 외국 기자들을 모아 놓고 기자회견을 열고 다음 날인 27일 정부군의 총탄에 맞아 숨졌다. 김상윤 씨와는 녹두서점을 함께 운영하던 친구이기도 했다.

"현재 젊은 세대의 서점인들에 대해 어떤 생각이 드시나요?"

"지금은 대형 서점에서 책을 사는 사람도 많아지고, 거기에 더해 인터넷으로 무엇이든 사는 것이 당연한 세상입니다. 다양한 개성으로 소규모 서점을 시작하는 사람들도 많아졌지만, 과거에 제가 했던 방식의 서점은 다시는 이

김상윤 씨(녹두서점)

땅에 생겨나지 않겠지요. 물론 저는 지금의 젊은 사람들을 호의적으로 보고 있습니다."

"혹시 자신의 경험을 바탕으로 현역 서점인들에게 조언하고 싶은 점이 있으신가요?"

"아니요, 없습니다. 제가 경험한 시절과는 시대가 다르니까요."

그는 이 대답을 끝으로 자리에서 일어나 김승복 씨 등 몇몇과 인사를 나누자마자 서둘러 떠났다. 끝까지 그의 얼굴에서 온화한 미소는 사라지지 않았다.

호텔로 돌아가는 소형 버스 안에서 뜻밖에 이루어진 짧은 인터뷰를 돌이켜 보았다. 과거에 내가 했던 방식의 서점은 더 이상 한국에 나타나지 않을 것이라는 그의 대답, 그것은 한국이 앞으로 그런 암담한 군사정권 시대로 돌아갈 일은 없으리라는 확신의 의미일까, 아니면 또 다른 의미일까?

짧은 시간이긴 했어도 그가 대화 속에서 자신의 과거를 자랑스럽게 말하는 순간은 조금도 없었다. 그 또한 윤상원 씨를 비롯해 민주화를 위해 싸우다 목숨을 잃은 청년들과 그 후로도 절망적인 삶을 살아가는 사람들의 존재를 가슴에 끌어안고 있어서일까?

그는 항상 경찰의 감시를 받고 머지않아 체포될 것을 예감하면서도 민주화를 외치는 청년들이 함께 모여 뜻을 도모할 수 있는 서점이고자 했다. 앞으로 한국에서 혹은 일본에서 서점이 그만큼의 각오를 요구하는 시대는 절대로 오지 않을 것인가?

만일 언론과 표현의 자유가 제한되어 서점이 자유롭게 책을 구입하고 판매할 권리를 위협받는 세상이 된다면 지금의 서점인은, 또 손님은 어떻게 나아가야 할까?

괜스레 위기를 부추기는 발언을 하고 싶지는 않다. 일본이 1945년 무렵으로 되돌아간다니, 도저히 있을 수 없는 일이라고 생각한다. 다만 앞으로 '서점이란 무엇인가'를 생각할 때 내 머릿속에 '녹두서점'이라는 이름이 반드시 떠오를 것은 분명하다.

⑲

1997년 4월 15일

한국 · 민주화와 서점 (2)

이야기는 광주를 방문하기 전으로 돌아간다. 나는 투어 일행보다 먼저 서울에 도착해 백원근 씨의 안내로 세 곳의 서점을 방문했다. 두 곳은 민주화의 선봉에 서서 20년 이상 영업해 온 서점이고, 다른 한 곳은 그 정신을 계승하면서 현대식 운영 방침을 지향하는 젊은 세대의 책방이다. 그들이 보여 준 것은 '민주화'를 키워드로 한 서점의 계보였다.

5·18 민주화운동 이후에도 민주화를 요구하는 시민의 저항은 끊이지 않고 오히려 치열했다.

1987년 6월 29일 노태우 대통령 후보에 의한 '민주화 선언'이 발표되며 군사정권 아래 많은 통제가 폐지되었다. 특히 이듬해인 1988년에 서울 올림픽 개최를 앞두고 있어서 정부로서는 이를 성공시키려고 국내 정세 안정화를 우선시할 수밖에 없었다. '민주화 선언'에는 방송, 신문, 출판의 편집 내용 등을 규제해 온 '언론 기본법'의 폐지도 포함되었다. 하지만 이를 계기로 언론과 표현의 자유가 전적으로 보장된 것은 아니었고, 때로는 모순과 혼란을 드러내며 조금씩 정착되어 갔다.

1997년 4월 15일, 서울에서 운영 중이던 '그날이 오면', '풀무질', '장백서원' 등 세 곳의 서점 주인이 체포되거나 구금되는 사건이 일어났다. 혐의는 '국보법'에 의한 '이적 표현물 판매 및 소지 위반'으로, 여기서 말하는 '적'이란 북한을 가리킨다. 공산주의에 긍정적이고 북한에 우호적이며 정권에 비판적인 노동운동계 단체가 제작에 관여하고 있다는 내용이었다. 민주화 선언으로부터 10년이라는 세월이 흘렀지만, 여전히 그러한 성향의 책들은 반국가적인 이적 표현물, 즉 금지 도서로 여겨졌다. 하지만 해당 도서의 제목이 공개된 것도 아닌 데다 무엇이 법에 위배되는지에 대한 기준도 모호했다.

적발된 세 서점에는 공통점이 있었다. 첫째는 대학 근

처의 서점이라는 것이다. '그날이 오면'은 서울대학교, '풀무질'은 성균관대학교, '장백서원'은 고려대학교 근처에 있었다. 둘째는 인문·사회 계열 도서 전문 서점이라는 것이다. 여기서 말하는 인문·사회 계열이라는 장르는 일본에서와 크게 다르지 않다. 하지만 일본 서점의 인문·사회 서가에 공산주의나 정권 비판을 주제로 한 책이 없다는 것은 상상할 수 없다.

정확한 기록은 찾지 못했지만, 세 곳과 성향이 비슷한 서점들이 1980년대 후반을 정점으로 많이 생겨났다. 1990년대 초에도 한국 전역에 100개 이상은 있었다고 한다. 세 서점 중에서 장백서원은 2001년에 문을 닫았다. 그래서 안내받은 곳은 지금도 영업을 하고 있는 두 서점이었다.

먼저 방문한 '그날이 오면'은 8평짜리 작은 가게였다. 가게 안은 책장으로 가득 찼고, 계산대 앞 테이블에는 러시아 혁명이나 페미니즘을 주제로 한 미니 전시회를 전개하고 있었다. 노동단체의 기관지 등도 두고 있었다. 서점 이름인 '그날이 오면'은 남북통일을 기원하는 노래의 제목이다.

창업 연도는 1990년으로, 주인 김동은 씨는 20대 후반까지는 회사원이었는데 노동운동에 적극적으로 가담했다는 이유로 같은 회사를 다니던 아내와 함께 해고당했다고 한다. 생계를 위해 일을 할 수밖에 없었지만, 사회에 대한 문제의식은 지키고 싶었다. 그러던 중 아내의 친구인 초창기 서점주로부터 가게를 이어받게 되었다고 한다.

학창 시절부터 민주화운동에 가담해 왔던 그는 읽어야 할 책, 읽고 싶은 책이 구하기 어려운 금지 도서라는 점을 항상 고민해 왔는데, 아내 친구의 서점에서는 그런 책을 다루고 있어서 계승하는 의미를 가졌다고 한다.

그러던 1997년 4월 15일 점심 무렵, 경찰이 갑자기 찾아왔다.

"전혀 예상치 못한 일은 아니었지만, 민주화 선언으로부터 10년이나 흘렀고 서점에 죄를 물을 가능성은 낮다고 봤었죠."

부부가 함께 연행되어 둘 중 한 명이 구치소에 남게 되었다. 남편인 자신이 남으려고 생각했는데, 서점 대표 경영자로 등록되어 있는 아내가 자신이 남겠다고 강하게 주장했다고 한다. 그들에게는 당시 8살과 3살이던 자녀가 두 명 있었다. 그렇게 아내를 혼자 남겨 두고 서점으로 돌아온 그를 기다린 것은 뜻밖의 광경이었다.

어디서 어떻게 이야기를 들었는지 서울대 학생들을

비롯한 단골손님들이 속속 찾아왔다. 그 수는 500명 정도로 불어나 '그날이 오면' 대표의 체포는 부당하다는 항의 시위로 발전했다. 그들은 자신들의 서점이 얼마나 많은 사람들에게 버팀목이 되었는지 비로소 알게 되었다.

"앞으로도 시민들을 위한 서점을 계속 이어 가겠습니다!"

모두의 앞에 선 그는 이렇게 선언했다. 아내는 한 달 동안의 구류 끝에 불기소가 되었다. 경찰로부터 앞으로는 금지 도서를 취급하지 말라는 당부를 받았으나, 이전과 다를 바 없는 서가로 가게를 이어 갔다.

『사회주의자: 러시아 사회주의혁명 100주년 특집호』(성두현, 2017)

그리고 20년이 지났다. 사건 당시 서울대학교 주변에는 인문·사회 도서 전문 서점이 '그날이 오면' 이외에도 일곱 개나 있었다고 한다. 그런데 지금은 한 군데도 남지 않았다. 정권을 비판하는 성향의 도서를 경찰이 눈에 불을 켜고 찾아다니던 시대 이후 인문·사회 도서를 찾는 학생이 서서히 줄어들면서 자연스럽게 시들해졌고, 또 애초에 책을 찾는 사람이 줄어들었다.

서울대학교 주변에서 유일한 생존자로 남은 '그날이 오면'은 다양한 노력을 하고 있다. 매장에서 책을 파는 것에만 그치지 않고 100명 정도의 회원으로부터 매월 회비를 받아 토크 이벤트 등을 실시한다. 대학 교수나 연구자에게 영업을 해서 책의 일괄 구입을 권유하기도 한다. 인터넷 통신 판매도 적극적으로 활용한다. 원래 옆 건물에서 지금의 세 배 정도의 공간에서 영업하다가 2016년에 규모를 축소해 이전하고, 아르바이트생도 저녁 시간만 고용하는 체제로 바꿨다. 봉사활동으로 도와주는 학생들도 있다고 한다.

"돌아보면 순탄했던 시기는 없네요. 하지만 그때 함께 모여 주신 손님들과 나눈 약속이 있어요. 그래서 절대 닫을 생각은 안 하죠. '그날이 오면'과 같은 서점을 하고 싶다고 젊은 사람이 상담하러 오는 일도 더러 있지만, 손님들과 자유롭게 소통하면서 운영하는 지금의 젊은 세대들의 서점도 좋다고 생각합니다. 두루두루 참고하고 있어요."

두 번째로 방문한 '풀무질' 서점 근처에 있는 성균관대학교는 1398년에 조선 왕조가 설립한 교육기관 '성균관'의 전통을 계승한 곳으로, 동아시아에서 가장 유서 깊은 대학 중 하나다. '풀무질'은 순수 한글로, '풀무'는 금속을 만드는 데 필요한 화력을 위해 바람을 일으킬 때 사용하는 도구이며, '질'은 행동을 뜻한다. 대학 시절에 발행한 기관지의 이름에서 영감을 얻어 붙인 이름이라고 한다.

서점 주인인 은종복 씨는 28세였던 1993년부터 이 가게를 운영했는데, 서점은 1985년부터 영업을 시작했고 그는 4대째라고 한다.

'그날이 오면'과 마찬가지로 한국에서는 사정 때문에 문을 닫게 된 서점을 모두의 의지로 어렵게 이어 가는 사례가 드물지 않다.

"시위하러 가기, 술 마시기, 글쓰기, 대학 시절에 그것들만 하다 취직 활동은 못 했어요. 대기업에 들어가면 세상을 더럽힌다고 생각하기도 했고요."

⑲ 1997년 4월 15일

그렇게 대학에 10년이나 넘게 적을 두었고, 그 후엔 군사정권에 반발하던 기자들에 의해 '민주화 선언' 이후 창간된 신문 『한겨레』에서 배달원 일을 했다. 그러던 어느 날 지인에게 서점을 인수받는 이야기가 나왔고, 어머니에게 빌린 자금으로 승계하게 되었다고 한다.

그러다 갑자기 경찰이 찾아온 것이 1997년 4월 15일 점심 무렵이었다. 놀랍게도 '그날이 오면'과 날짜도 시간도 거의 비슷하다.

"대학 시절에도 겪기는 했지만, 사회인이 되면서 들어가는 구치소는 또 달랐어요."

이른바 금지 도서를 '풀무질'이나 '그날이 오면'과 같은 인문·사회 도서 전문 서점만 취급했던 것은 아니다. 이미 대형 서점들에서는 떳떳하게 팔고 있는 책도 많은데 무엇이 법에 저촉된 것인지 모호했다고 한다. 과거의 군사정권 시절로 돌아가는 일은 절대 있어서는 안 되며, 책을 통해 이를 주장하는 서점이 반드시 필요하다고 믿었기에 '그날이 오면'과 마찬가지로 그 후로도 소신 있게 도서를 선택해 서점을 이어 왔다.

매장은 40평으로, 옆에 '놀이터'라고 부르는 작은 방이 있다. 그곳에서는 독서 모임이나 다큐멘터리 영화 상영회 등을 정기적으로 진행한다. 도서 판매로는 적자지만, 동료와 함께 운영하는 '놀이터' 쪽은 흑자여서 어떻게든 꾸려 가고 있단다.

몇 권의 책을 샀더니 거스름돈과 함께 그냥 책만 건네주기에 봉투를 받을 수 있냐고 조심스레 물어보니 "환경을 생각하고 있기 때문에 마련해 두지 않았어요"라는 대답이 돌아왔다. 이번에는 이름이나 주소를 확인하려고 명함을 요구하자 "사람들에게 알려지기 싫어서 만들지 않았어요"란다. 그러면서 메모지에 직접 써 주었다. 고지식하고 무뚝뚝하지만 어딘가 자유분방하고 종잡을 수 없는 사람이었다.

"혹시 뜻을 공유하는 서점 동료가 있나요?"

"지금은 겨우 '그날이 오면' 정도일까요? 예전에는 성균관대 주변만 해도 세 군데 정도 비슷한 서점이 있었지만요."

"지금의 젊은 서점인들에게 전하고 싶은 말이 있나요?"

"우선, 서점은 기쁜 존재라고 말하고 싶어요. 책을 통해 사람들이 모이는 장소가 동네에 있다는 것은 중요하니까요. 다만 오직 자신이 좋아하는 책과 손님이 좋아할 만한

(위) 김동은 씨(그날이 오면)

(아래) 은종복 씨(풀무질)

책만 두려는 인상이 있어요. 서점의 역할은 단순히 그뿐만이 아니라고 생각합니다. 저자나 출판사와 함께 공부의 소중함을 전하고 정치의 부정을 묻고 사회를 변화시키는 의지적 참여가 필요하다고 봅니다. 취향을 공유할 뿐만 아니라, 세상의 문제와 마주하고 전달하는 장소가 되었으면 좋겠어요. 다만 내가 겪어 온 시대와는 가게를 시작하는 동기부터 다르니……."

녹두서점의 전 주인도, '그날이 오면'의 주인도 모두 같은 말을 건넸다.

1987년의 민주화 선언에 이르기까지, 1980년대부터 1990년대 '녹두서점', '그날이 오면', '풀무질'과 같은 서점들이 한국에서 한 역할은 컸다. 이 나라가 어디로 가야 할지를 많은 젊은이들이 고민했지만, 그것을 위한 스터디나 독서 모임을 할 수 있는 장소라고는 작은 서점밖에 없었다. 도서관 같은 공공 기관에서는 엄두를 낼 수도 없었고 민간에서만 가능했는데, 그것도 큰 자본이 투자되지 않는 곳이어야만 했다.

이제는 동네 서점이 그런 역할을 하던 시대는 끝나 가고 있다. 아니, 진작 끝났다고 말하는 사람도 있을지 모른다. 이것을 그저 '이웃 나라의 옛이야기'라고 흘려들어도

⑲ 1997년 4월 15일

될까?

풀무질을 방문했던 날, 우연히도 『한겨레』에 금지 도서에 대한 기사가 나왔다. 지금도 정부가 보유하고 있는 '금서 리스트'를 공개할 것을 요구하는 내용이었다. 1997년 4월 15일을 끝으로 한국의 서점이 '이적 표현물 판매 및 소지 위반'으로 적발되는 사건은 일어나지 않고 있지만, 그래도 국가의 치안을 우선시하는 입장에서 보면, 여전히 도서는 '위험물'이고, 서점은 '위험물 취급소'인 것이다.

2019년 초 풀무질 대표 은종복 씨는 경영의 어려움 때문에 폐점을 발표했다. 그러자 역사적인 가게가 사라지면 안 된다며 서점을 잇겠다는 사람이 여러 명 나타났다. 그 결과, 다행히 새로운 후계자들이 새로운 풀무질의 문을 열었고 서점은 계속 이어지게 되었다고 한다.

"이제 제가 겪은 그 시절과는 다르죠."

연륜 있는 그들은 이렇게 말했지만, 민주화를 위해 싸웠던 서점을 잊지 않는 사람들이 한국에는 여전히 많이 남아 있다.

⑳

이어 내려온 무언가

한국 · 민주화와 서점 (3)

'그날이 오면', '풀무질' 다음으로 백원근 씨가 안내해 준 곳은 '이음'이라는 서점이었다. 대표 조진석 씨는 1974년생이며 개업 연도는 2009년으로, 앞서 소개한 두 곳에 비해 꽤 젊은 세대의 서점이다.

'연결하다'를 의미하는 '이음'의 경영은 일반 서점과 크게 다르다. 2005년 설립한 비정부기구NGO 사업의 일환으로 영업하고 있다. 운영은 280명(취재 당시)에 이르는 후원자의 회비로 유지되고 있다. 1개월에 수만 원을 후원하는 사람이 많은데, 그중에는 백만 원이나 후원하는 사람도 있다. 갤러리 공간을 합쳐 40평 남짓한 매장에 연간

총 400여 명의 자원봉사자들이 현장 운영을 맡고 있다고 한다.

"왜 그렇게 많은 사람이 이음을 응원할까요?"

"나를 위한 것이 아니라, 사회 공헌을 위한 서점이니까요."

조진석 씨는 단호하게 대답했다. 자신의 생활비는 NGO의 예산에서 얻고 있고, 서점 사업의 수익은 전액 기부하거나 각 단체의 지원금으로 보내고 있다고 한다. 지금까지 지원 대상으로 삼아 온 것은 사회적 의의가 인정되는 출판 활동, 도서관 사업, 서점원 육성 등과 같은 도서 관련 활동부터 장학금을 필요로 하는 학생, 독립영화 상영관, 태양 에너지를 연구하는 단체까지 다방면에 걸친다. 과거 베트남전쟁에서 한국군 병사에게 학살당한 피해자 유가족을 돕기 위해 나선 적도 있다. 이때는 '노근리 국제평화재단'이라는 사단법인으로부터 표창도 받았다.

서점을 그러한 장소로 만드는 아이디어는 어디서 나왔을까? 우선은 서점원이 되고자 했던 출발점에서 점차 인생의 여러 선택을 하면서 경험을 통해 자연스럽게 이루어진 것 같다고 그는 말했다.

서점을 열겠다는 꿈을 꾼 것은 19세 때 대형 서점부터 소규모 서점에 이르기까지 여러 서점에서 아르바이트를 하면서부터다. 하지만 책에 돈을 쓰는 사람이 적어서 서점업의 전망은 불안하다고 느꼈다. 생업으로 삼기에는 무리라고 판단한 그는 서점 개업은 포기했다.

그는 어릴 적부터 정치에 대한 불신이 있었다. 특히 잊을 수 없는 사건이 1992년 중국과의 국교 정상화라고 한다.

"그전까지는 중국에 관심을 가지는 것조차 허용되지 않을 것 같은 분위기였다고 기억합니다. 그러다 어느 날 갑자기 양국 정상이 웃는 얼굴로 악수를 하고, 언론도 그전의 일은 까맣게 잊은 듯 중국과의 우호만을 주장했지요. 방침 전환에 대한 설명 없이 조금씩 분위기에 휩쓸리듯 일이 진행되고 있는 현실을 직시하게 되었어요. 그렇게 우리의 미래를 정부나 정치인에게 맡겼다가는 큰일이라는 생각을 하게 되었습니다."

IMF 위기가 일어났을 때도 같은 생각을 했다. 1997년 한국은 급격한 불황으로 IMF에 자금 지원을 요구하며 금융기관을 포함한 많은 대기업이 파산하고 실업자가 쏟아졌다. 이때도 국민이 이 사태에 어떻게 대처해야 하는지를 국가는 전혀 알려 주지 않았다. 그래서 그들에게는 아무것도 기대하지 말아야겠다고 생각하게 되었다.

대학을 중퇴하고 NGO에서 활동하면서 대형 서점에도 없는 인문·사회서나 예술서적을 갖춘 한 서점을 만났다. 한때 단념했던 서점에 대한 꿈이 되살아났다. 하지만 기존의 방법으로는 서점을 잘 운영해 나갈 수 없을 것 같았다. 그러다 그 서점의 경영을 계승하는 이야기가 나왔을 때, 이윤 추구에 휘둘리지 않고 어려움을 겪는 사람들과 사회에 공헌하는 활동을 지원하는 것으로 운영되는 서점을 생각하게 되었다고 한다.

그의 진지한 눈동자를 보니 호감이 느껴졌다. 이익을 추구하지 않는 운영 방법도 오히려 '책'의 현상을 냉정하게 본, 이치에 맞는 생각이라 느껴졌다. 대뜸 물었다.

"부자가 되고 싶다고 생각한 적은 없나요?"

그러자 그는 "나는 부자예요"라며 노근리 국제평화재단에서 선물로 받은 기념 상패에 손을 얹었다.

"NGO에서 해 왔던 지원 사업, 사회에 대한 공헌을 모두 포함한 것이 제 재산이라고 생각합니다. 다 합치면 어쩌면 재벌이 되어 있을지도 몰라요."

그러면서 서로 마주 보고 웃었다. 절반 정도, 아니 절반 이상은 진심일 것이다.

"많은 책방은 한 권이라도 더 팔려고 합니다. 하루 벌이를 위해 시행착오를 겪기도 하지요. '자신이 팔고 싶은 책, 자신이 가치를 인정한 책을 소중히 여기기보다는 고객의 요구에 응대하면서 어떻게든 살아간다', 그게 서점다움이라는 생각이 드는데 어떠세요?"

"저도 내 방식이 옳은가 고민하기도 합니다. 생계를 위해 책을 파는 많은 서점을 부정할 마음은 없어요. 저희 서점에는 10대 아이도 많이 오는데요, 학습 참고서나 입시 문제집을 두지 않아요. 또 베스트셀러도 거의 두지 않습니다. 영리를 목적으로 하는 서점을 방해해서는 안 된다는 생각에서죠."

한국에서는 학습 참고서가 거대한 시장을 차지하고, 확실한 판매고를 보장하는 장르로 여겨지고 있다. 베스트셀러도 마찬가지로, 다른 서점에서 잘 팔리는 장르이기 때문에 비치하지 않는 것이라고 한다.

자신의 생각을 순순히 따랐더니 이러한 방식이 되었다고 한다. 시작한 이상은 끝까지 책임지고 해내고 싶다면서 그는 말을 계속 이어 갔다.

"현실적으로 봤을 때 책만 팔아서 먹고살 수 있는 서점은 이제 한국에는 없을 것이라고 생각해요. 그래서 적어도 언론의 다양성을 보장하는 서점, 출판사가 신념을 가지고 만든 책을 맡길 수 있는 책방이고 싶어요. 영리를 추구하지 않는다는 것은 그 자세를 유지하는 방법 중 하나라고 생각합니다."

계속하기 위해 책 이외의 물건을 파는 책방이 있어도 좋고, 어쨌든 책을 사랑하고 정성을 쏟아 하루하루 열심히 꾸려 가는 책방도 있어서 좋다.

하지만 서점의 앞날을 생각한다면 그의 방법은 유효하고도 중요한 힌트를 던져 준다고 생각한다. 책은 한 권이라도 더 팔아야 할 '상품'이다. 이 속박으로부터의 해방은 새로운 서점들에게 중요한 주제가 되지 않을까?

서울의 세 서점, '그날이 오면', '풀무질', '이음'을 방문한 후 나는 김포공항에서 투어에 합류해 광주로 이동했다. 그리고 5·18의 옛터에서 녹두서점의 주인을 만났다.

우리는 광주에서 서남쪽에 위치한 여수로 옮겨 갔다. 여수는 아름다운 자연과 거리가 어우러진 항구도시다. 근래에는 제주도를 제치고 한국인들이 선호하는 국내 여행지 1등이라고 한다. 이곳에서 종일 투어 참가자들과 교류의 시간을 가졌다.

다음 날 아침, 나는 일본으로 돌아가는 일행보다 일찍

호텔을 나서 버스터미널에서 장거리 버스를 탔다. 두 시간 반 정도 걸려 도착한 곳은 부산의 사상이라는 동네였다. 김현선 군과 그곳에서 만나기로 했다.

그를 알게 된 것은 2016년 여름 부산에서였다. 부모님과 함께 인디고서원이라는 서점에서 열린 『시바타 신의 마지막 수업』 한국 출간 기념 토크 이벤트에 참여해 줘서 알게 되었다. 당시 그는 일본 대학에 유학 중이었는데, 다음에 일본에서 다시 만나자는 약속을 하고 헤어졌다. 사실 헤어질 때 나누는 가벼운 인사말 정도로 끝날 일도 많다. 모든 만남과 인연을 능숙하게 잘 이어 가는 편은 아닌데, 현선이가 잊지 않고 연락을 줘서 일본에서도 가끔 만나는 사이가 되었다.

그는 키가 크고, 패션이나 머리 스타일에 자기 나름의 고집이 있어 보인다. 행동거지가 어딘지 미덥지 않지만, 그의 이야기를 들어 보면 앞으로의 삶에 여러 꿈을 품고 있는 꿈 많은 젊은이다. 『시바타 신의 마지막 수업』을 인연으로 만난 사이여서 시바타 신 씨에게도 소개하고 싶었다. 둘 다 무척 기대하고 있었는데, 시바타 씨가 갑자기 돌아가시는 바람에 뜻을 이루지 못했다. 그의 부모님은 부산 시내에서 서점을 운영하셨다고 한다. 지역 어린이들에게 '독서'

를 가르치는 학원도 운영한다. 조금 독특한 학원이라는 생각이 들었다. 서점에서 정기적으로 읽고 모임을 갖는 수준이 아니라 커리큘럼에 따라 수강료를 지불하는 학원 시스템으로 운영하는 전문적인 곳인 듯하다.

2017년 봄, 현선은 일본에서 대학을 졸업했다. 졸업식 때 부모님이 일본에 오셨기 때문에 세 사람과 함께 진보초에서 만났다.

현선의 부모님 김형중 씨, 노희정 씨 부부가 어린이 도서 서점 '곰곰이'를 연 것은 2000년으로, 시작할 당시부터 '서점과 전문적 독서교육 기관' 형태를 갖추었다. 일곱 명의 강사를 두고 독서 훈련을 배우는 수업을 개설한 것 외에 어린이도 기자로서 참가해 신문을 발행하고, 한 사람 한 사람의 취향과 독서력에 맞춰 책을 골라 선물하는 북클럽 등 다양한 방식으로 운영한다고 한다.

"1991년에 장남 현선이가 태어났는데, 어떤 그림책과 아동 도서를 읽게 하면 좋을까 고민하던 것이 '곰곰이'의 아이디어로 이어졌습니다"라고 아내 노희정 씨는 말했다.

'곰곰이'의 대상은 6세부터 중학교 3학년까지로 이때만 해도 수강생이 약 400명이었는데, 학생 수가 계속 늘어나 교실이 부족해져서 빌딩의 2층짜리 사무실 하나에서

2015년에는 세 개로 확대했다고 한다.

"독서 인구의 저변을 넓히는 데 기여할 수 있는 서점이고 싶어요. 아이들이 스스로 필요한 책을 선택해 서재에 진열할 수 있는 어른이 되었으면 좋겠고, 그러려면 어릴 때부터 책을 가까이하는 것이 중요하지요."

물론 사업으로서도 제대로 자리를 잡아야 하기 때문에 수입을 안정적으로 얻을 수 있는 구조를 만들기 위해 집요하게 노력한다고 둘은 이야기했다. 언젠가 '전문적 독서교육' 수업 광경을 보러 가기로 약속하고 우리는 헤어졌다.

현선이의 안내로 '곰곰이'에 도착해 부부와 상봉 인사를 나누자마자 곧바로 수업 모습을 차례로 견학했다. 교실은 아홉 개가 있었고, 이때 수업을 하고 있던 곳은 여섯 곳이었다. 다섯 명의 초등학교 3학년생들이 가운데 커다란 테이블이 놓인 작은 방에서 한 신문 기사에 대해 토론하는 수업이 진행되고 있었다. 연예인이 키우는 개가 사람을 물어 죽게 했다는 사건을 보도한 기사였다.

"이 개는 안락사를 시켜야 할까?"

선생님이 모두에게 의견을 구한다.

"그건 불쌍한 것 같아요. 나쁜 것은 개가 아니니까."

활발해 보이는 여자아이가 가장 먼저 대답한다.

"그럼 책임은 누구에게 있다고 생각해?"

선생님이 더 묻는다. 한 명이 의견을 말하고 다른 한 명이 거기에 동참한다. 입을 다물고 다른 사람의 이야기를 듣고만 있는 아이도 있다. 목적은 정답을 정하는 것이 아니라, 하나의 기사를 다각적으로 읽어 내는 힘과 다른 사람에 대한 상상력을 기르는 데 있다.

미취학 아동들이 모여 있는 방에서는 인상주의 화가 르누아르의 「피아노 치는 소녀들」, 에도 말기의 풍속화인 우키요에 화가인 가츠시카 호쿠사이의 「부악삼십육경富嶽三十六景」 등 몇몇 명화 속에 각자 '자신'을 상상해 그리고 있었다. 선생님은 "이 여자아이가 치고 있는 것은 어떤 곡이야?"라고 묻는다. 자신을 상상 속에서 등장인물로 추가함으로써 한 장의 그림에서 이야기를 공상하는 힘을 기르는 것이다.

초등학교 1학년 방에서는 '용기'가 키워드였다. '자신에게 용기란 무엇인가', 또 '어떤 용기를 경험했는가'를 순서대로 발표하고 서로 감상을 공유한다.

선생님들의 막힘없는 진행, 아이들의 다양한 반응에 계속 빠져들어 보게 되었지만, 10분 정도 보다가 다음 방으로 이동했다. 초등학교 3~4학년 이상이 되면 산만하기 마련이고, 분명 집중하지 못하는 아이들이 있다. 게다가 일본인 아저씨가 갑자기 카메라를 들고 들어왔으니 당연하다.

수업은 기본적으로 주 1회이며, 수업료는 4회에 9만 원부터 몇 가지가 있다. 선생님들은 대학에서 총 360시간의 강의를 듣고 민간 조직이 실시하는 시험을 통과해 '독서지도사' 자격증을 가지고 있다. 커리큘럼은 한 명씩 개별적으로 짠다고 한다. 수업 전후에 부모와 자녀가 시간을 보낼 수 있는 공간이 있는데, 그곳이 그림책이나 아동서가 진열된 매장으로 마련되어 있었다.

사장실로 돌아와 이어서 부부에게 이야기를 들었다. 그들도 처음에는 막연히 '서점을 하고 싶다'는 생각이 있었다. 그래서 국내 각지의 여러 서점을 조사했고, 그 결과 책만 팔아서는 오래가지 못할 것이라는 생각이 들었다고 한다.

앞으로는 점점 '가족'의 소중함이 중요해지고, 각각의 가정에서 문화를 기를 힘이 필요해질 것이라고 남편 김형중 씨는 오래전부터 생각하고 있었다. 여기에 독서지도사 자격증을 가지고 있는 아내의 경험을 접목해 색다른 서점을 만든 것이다. 주위에서 '서점은 장래성이 없다', '그만두는 것이 좋다'는 신랄한 충고를 받았지만, 어느새 개업 20주년을 눈앞에 두고 있다. 곰곰이를 처음 연 2000년 무렵 한국에는 120여 개의 아동 도서 전문 서점이 있었지만 현재는 겨우 30개 정도로 줄었다.

"독서교육이라고 하면 영리를 목적으로 하는 부분과 손님에게 봉사하는 부분의 균형을 맞추기가 어려워 보입니다. 이를 어떻게 적절히 구분해 왔나요?"

"예를 들어, 곰곰이에 대해 어디선가 듣고, 자신의 아이에게 어떤 책을 읽게 하면 좋을지 상담하러 오는 사람도 있는데, 그럴 때는 얼마든지 상담을 해 드리죠. 하지만 독서에 대한 상담은 무료로 응하지 않습니다."

"꽤 엄격한 구분이군요."

"책을 매개로 한 사람 한 사람과 차분히 마주 볼 수 있는 것이 동네 책방의 특징이라고 생각해요. 대형 서점에서는 손님과 모두 어울리고 개별적으로 좋은 책을 추천하는 일은 어렵습니다. 그렇기에 작은 서점에서만 할 수 있는 일에 대해서는 대가를 요구해야 한다고 생각합니다. 살아남은 서점은 희망을 가지고 경영을 계속해야 하고요. 아이에게 어떤 책을 읽게 해야 할지를 상담할 수 있는 서점이 동

곰곰이서점 수업의 한 장면. 초등학교 3학년 어린이들.

네에 반드시 필요하다는 사실은 개업부터 지금까지의 경험으로 확고해졌습니다."

독서의 중요성을 설명하는 부부의 이야기를 들으며 문득 떠오른 곳은 '꼭 책 한 권은 사 가셔야 해요'라는 안내판을 내건 '숲속작은책방'과 이곳에 오기 전에 만난 민주화를 위해 투쟁한 서점들이었다. 나는 서울과 광주에서 보고 들은 것을 이야기해 주면서 물었다.

"두 분의 민주화 투쟁에 대한 기억과 곰곰이 창업과는 연관이 있을까요?"

'민주화 선언'이 있던 1987년 당시, 김형중 씨는 25세, 아내 노희정 씨는 스무 살이었다. 곰곰이를 시작하는 데 정치적인 문제의식, 예를 들어 언론의 자유를 지키는 요새가 되어야겠다는 의식은 없었다고 김형중 씨는 대답했다.

"친구들 중에는 수배된 활동가도 있었지만, 저는 시위에 참여한 적은 있어도 뒤에만 있었어요. 그러다 야간학교에서 영어 교사가 되었고, 일하면서 밤늦게 배우러 온 사람들과 함께 지내다 보니 시위하러 갈 시간도 여의치 않았고 자연스럽게 줄어들었죠."

민주화 투쟁을 가까이에서 느꼈던 것은 분명하다면서 그는 이야기를 이어 갔다.

그들의 고장인 부산에서는 광주의 5·18보다 반년여 전인 1979년 10월에 '부마 민주항쟁'이 일어났다. 5일간에 걸쳐 부산과 그 옆 마산에서 대규모 시위가 벌어졌고, 정부는 비상계엄령을 발동해 이를 제압했다.

"재차 물어보신다면 간접적으로는 영향을 받았는지도 모르겠네요. 그래도 서점을 시작하게 된 직접적인 동기라고는 할 수 없을 것 같아요."

부부와의 대화는 김현선 군의 통역을 통해 이루어졌다. 지금까지의 대화를 통역하던 그는 "부모님의 기본적인 생각은 이른바 왼쪽이다. 구독하는 신문도 『한겨레』"라고 덧붙였다.

곰곰이서점 부부의 입장은 현실적인 것이라고 느껴졌다. 인생을 바칠 정도의 각오로 민주화 투쟁에 몸을 던진 사람은 국민 전체에서는 소수였고, 나머지 대부분은 그들과 마찬가지로 거리를 둔 관계였을 것이다. 물론 그렇다고 민주화와 무관하다는 말은 아니다. 각자 나름의 생각이 있기 마련이다.

이 여행의 마지막 여정이 이곳이어서 좋았다. 곰곰이는 김현선 군이라는 청년과 수많은 아이들이 있는 서점이었다.

곰곰이를 방문한 다음 날 아침, 나는 그들이 예약해 준 해운대 앞 호텔을 나와 근처 바닷가를 걸었다. 여름철에는 피서 인파로 붐비는 곳이었다. 시간이 조금만 넉넉하다면 잠시 서점 순방을 해 보고 싶었지만, 김해공항에서 귀국하는 비행기 시간을 생각하면 할 수 있는 일은 이 정도의 산책뿐이었다.

11월인데도 쾌청한 해변에 의외로 관광객이 많았고, 그 이상으로 많았던 것은 갈매기였다. 물가에 늘어선 갈매기들은 이상하게도 몸짓이 거의 없이 그저 가만히 바다를 바라보고만 있었다. 햇볕을 쬐고 있는 것일까, 물고기가 튀어나오기를 기다리는 것일까, 아니면 바다 저편까지 날아갈 방법을 궁리하는 것일까?

광주에서 만난 '녹두서점', 서울에서 만난 '그날이 오면', '풀무질', '이음' 그리고 부산의 '곰곰이'까지, 나는 이 여행에서 '민주화'를 키워드로 과거부터 현재 그리고 어렴풋이 보이는 미래까지를 더듬어 온 듯하다. 이번 여행에서 전혀 의도하지 못했던 일이다. 서울에서 가이드 역할을 맡아 준 백원근 씨의 탁월한 선택과 녹두서점 김상윤 씨와의 만남이 계기를 마련해 준 것 같다.

이 여행에서 본 서점의 계보는 무엇을 보여 주는 걸까? 이 계보는 어디로 향하고 있는 것일까? 도쿄 책거리 서점 주인 김승복 씨의 말에서 해답의 힌트를 얻었다.

"난 어디까지나 내가 하고 싶어서 하는 것뿐이야."

한국과 일본 사이의 가교 역할을 하고 있다는 나의 말에 그녀는 이렇게 말했다.

그녀는 한국인으로서 일본에 살며 출판사와 서점을 운영하고 있다. 책은 많이 팔리지 않고 경영자로서는 순탄치 않은 순간도 많을 것이다. 그럼에도 자신이 매료된 작품을 일본이나 한국에 소개하고 서점에서 일일이 손님과 소통한다. "이 책은 정말 재밌어"라면서 언제라도 누구에게나 그렇게 말할 수 있는 날들을 바라고 있다. 그녀는 자신이 원해서 하는 것이다.

현재 그녀의 존재야말로 한국 서점이 지향해 온 모습이 아닐까? 물론 한국에만 국한된 문제는 아니다. 책방은 그 나라와 지역의 자유를 상징한다. 인간이 자유를 추구하는 마음을 가지는 한, 그 역할을 담당하는 자는 끊임없이 나타날 것이다.

㉑

흔들리는 홍콩에서

홍콩 코즈웨이베이서점 · 람윙케이의 투쟁 (1)

2019년 6월 9일 오후 3시, 나는 타이완 타이베이시의 지하철 시먼역 6번 출구 앞에서 람윙케이를 기다리고 있었다. 일요일이라 젊은이들과 관광객이 모이는 번화가인 시먼역 앞은 많은 인파로 혼잡했다. 바쁘게 오고 가는 사람들로 얼굴을 알아보기조차 힘들 정도였다.

"괜찮아요. 여기서 기다리면 만날 수 있어요."

나의 불안함을 헤아렸는지 통역을 하는 작가 추전루이 씨가 밝은 목소리로 말한다. 말이 끝나자마자 추전루이 씨에게 전화가 걸려 왔다. 바로 옆에 있는 것을 알고 전화를 끊으며 다가온 람윙케이 씨는 먼저 추전루이 씨에게 악수를 청하고, 그다음 나와 악수를 나누었다.

다소 갑작스러운 등장이긴 했지만 '드디어 만나게 되었구나' 하는 감회가 피어올랐다. 이날을 위해 두 달 전부터 수차례 메일을 주고받았구나 싶었다. 앞에서 추전루이 씨와 람윙케이 씨가 나란히 걷기 시작했고, 나는 둘을 따라갔다.

람윙케이는 170센티미터대 중반의 키에 마른 편이었고, 약간 등이 굽은 체형이었다. 가는 검정 테 안경을 쓰고 있었으며, 하늘색 반팔 셔츠에 베이지색 바지, 갈색 구두, 남색 캡을 눌러쓰고, 나일론 재질의 작은 검은색 가방을 어깨에 걸치고 있었다.

2분가량 걷다가 추전루이 씨는 '남미커피'라는 찻집 앞에 서서 람윙케이 씨와 나에게 안으로 들어가라고 안내했다. 가게는 붐볐고, 유일하게 비어 있던 1층 맨 안쪽 테이블에 앉았다. 안에서는 커피를 로스팅하는 기계 소리가 유난히 크게 들렸다.

어쨌든 자리에 앉아서 커피 주문을 마치자 람윙케이 씨는 바지 주머니에서 스마트폰을 꺼냈다.

"홍콩에 엄청난 수의 사람이 모여 있는 것 같다……."

람윙케이 씨가 중얼거리는 소리를 추전루이 씨가 재

빠르게 번역해 주었다. 스마트폰에는 실시간으로 업데이트되는 현지 영상이 흐르고 있었다.

바로 이 시간, 홍콩에서는 대규모 시위가 막 시작된 참이었다. 다음 날 주최 측의 발표에 따르면, 참가자는 103만 명에 이르렀다고 한다. 현장의 모습은 일본을 포함한 전 세계에 생생하게 보도되었다. 이 시위는 홍콩 정부가 6월 20일 표결을 목표로 심의를 추진하던 '범죄인 인도법'의 개정에 반대하는 것이었다. 중국으로부터 홍콩의 자치를 지키려는 저항이었고, 그 행방은 람윙케이라는 서점인의 명운과도 크게 연관되어 있었다.

'범죄인 인도법'과 '코즈웨이베이서점 사건'

홍콩 정부가 개정을 추진하려는 '범죄인 인도법'이란 국외에서 위법 행위를 하다가 체포되지 않고 귀국한 홍콩인을 그 나라의 요청에 따라 인도할 수 있도록 하는 것이다. 지금까지 홍콩에서는 미국과 유럽을 중심으로 20개국을 조례 대상으로 하고 있었는데(일본은 제외지만, 이 조례와 별도의 법으로 인도하도록 하고 있다), 이를 중국과 타이완에도 적용한다는 것이 이번 개정안의 골자였다.

이 개정안 추진의 계기는 2018년 2월 홍콩 남성이 임신 중인 애인을 타이완에서 살해하고 홍콩으로 도망친 사건이었다. 남성은 홍콩에서 체포되어 살인을 자백했지만, 홍콩과 타이완 사이에 범죄자 신병을 인도할 결정권이 없었기 때문에 타이완에서의 살인죄는 묻지 못하고, 피해자 여성의 지갑을 보관한 것에 대한 절도죄로만 그치게 되었다.

결국 더 이상 이런 일이 일어나서는 안 된다는 뜻이 모아져 개정안이 나왔지만, 홍콩 사람들은 이 사건을 이전부터 목표로 해 왔던 조례 개정에 이용했다고 보는 것이다.

홍콩은 원래 중국의 영토였지만, 중국이 '청나라'였던 1842년 영국과의 아편전쟁에 패하여 영국에 할양되었다. 이후 제2차 세계대전 중 일본이 점령한 1941년부터 1945년까지를 제외하고 150년이라는 세월 동안 계속 영국령이었다.

중국으로의 반환은 1997년이었다. 이때 중국의 일부가 되기는 하지만, 향후 50년간은 영국령 시대의 법률 등을 이어 가는 이른바 '1국 2제도'를 유지하는 약속이 중국과 영국 사이에 체결되었다. 현재 문제가 되고 있는 '범죄인 인도법'도 영국령이던 시대부터의 방침을 이어받아 중국과 타이완은 대상국에서 제외되었다.

하지만 그로부터 20년 동안 중국은 홍콩을 명실상부한 자국의 일부라고 주장해 왔다. 예를 들어, 최근의 홍콩 입법회(의회)는 '친중파'가 다수를 차지해 중국 정부의 의향을 반영하는 경향이 강화되고 있다. 2014년 9월에는 이 상황에 반발한 학생들이 홍콩의 중심부를 점거하는 '우산혁명'도 일어났지만, 정세를 바꾸기에는 역부족이었다.

'범죄인 인도법'의 개정은 결국 '1국 2제도'를 뿌리째 무너뜨려 홍콩의 자치를 잃게 할 것이라고 많은 홍콩인들은 주장한다. 홍콩에서는 합법적인 행위라도 중국 정부나 사법부가 위법이라고 판단하면 강제로 중국에 인도될 우려가 있기 때문이다.

가장 알기 쉬운 예가 출판물 등의 언론 및 표현 활동이다. 중국 공산당에 대한 비판은 홍콩에서는 자유로울지 몰라도 중국에서는 금기시된다. 물론 중국의 헌법도 '언론의 자유'를 보장하고 있지만, 한편으로 언론 활동을 포함한 모든 행위는 현행 체제를 파괴하지 않는 것을 전제로 하고 있다. 무엇이 파괴로 이어질지가 애매해서 중국 공산당 정치 체제에 부정적인 언론을 모두 제거해 버리는 것도 불가능한 일은 아니다.

홍콩 정부는 이번 개정안에 대해 중국에 인도하는 것은 살인 등 중죄를 지은 범죄자로 한정짓고, 신조나 사상이 중국과 대립하는 자를 대상으로 하는 것은 아니라고 설명하고 있다. 또 홍콩 정부의 캐리 람 행정장관은 조례 개정은 스스로 필요하다고 판단해 결정한 것이라고 말하고 있고, 중국 정부도 중국이 지시한 것은 아니라고 단언하고 있다. 하지만 홍콩 사람들은 믿지 않는다. 이러한 불신과 불안을 조성한 결정적인 사건들 중 하나가 2015년 코즈웨이베이서점 사건이었고, 그다음 해에 람윙케이가 저지른 고발이었다.

2015년 10월부터 12월까지 코즈웨이베이서점 경영자였던 구이민하이를 비롯해 임원, 점장 등 다섯 명이 잇달아 실종되는 사건이 발생했다. 코즈웨이베이서점과 그 경영 모체인 출판사 거류전매집단은 중국 공산당을 비판하거나 최고지도자 시진핑의 스캔들을 다룬 책을 발행하고 판매하는 곳으로 알려져 애초부터 중국 공산당에 의한 납치가 아닌가 하는 의혹이 있었다. 얼마 지나지 않아 실종된 구이민하이 씨가 중국에서 죄를 지었음을 인정하고 중국 언론 앞에서 참회하는 기사나 영상이 보도되었지만, 그가 진실을 말하고 있다고 생각하는 사람은 없었다. 이 사건을 중국 당국에 의한 납치라고 확신하게 한 결정적 역할을 한 또 다른 사건이 바로 실종된 다섯 명 중 한 명이자 이 서점의 점장이었던 람윙케이의 기자회견이었다.

8개월 동안의 구속에서 풀려난 후 홍콩에 돌아간 람윙케이는 2016년 6월 16일 코즈웨이베이서점 고객 리스트를 가지고 중국으로 돌아가라는 중국 측의 지시를 따르지 않고 외신들을 포함한 보도진을 향해 자신에게 무슨 일이 일어났는지 낱낱이 밝혔다. 아직 구속 중인 경영자 구이민하이를 포함해 관계자가 모두 입을 다물고 있는 가운데 열린 그의 기자회견은 큰 충격과 파장을 불러일으켰다.

그 후로 람윙케이는 국내외 언론에 자주 언급되었고, 중국의 억압에 저항하는 홍콩을 상징하는 존재가 되었다. 나도 실종 뉴스가 나왔을 때부터 신경이 쓰였다. '코즈웨이베이서점', '람윙케이'를 키워드로 검색하고 뉴스를 보면서 그를 만나 보고 싶은 마음이 커졌다.

사실 내가 만나고 싶은 사람은 홍콩의 자치를 지키자고 호소하는 운동가로서의 그가 아니다. 오랫동안 작은 서점을 운영해 온 동네의 '당외인사'이자 한 명의 서점인으로서의 람윙케이였다.

만남 날짜가 정해지기까지는 우여곡절이 있었다. 연

락처를 알기는 쉬웠다. 그가 SNS를 하고 있었기 때문이다. 타이완 출판 관계자의 주선으로 그의 메일 주소를 파악한 후 지인에게 번역을 부탁하고 인터뷰를 원하는 다소 장문의 메일을 보내자 다음 날 바로 승낙의 회신이 왔다. 그 신속함과 PC 화면으로 접한 중국 번체자에서 성실하고 친절한 인품이 전해져 왔다. 신상도 모르는 일본인 작가의 부탁을 귀찮아하는 기색은 없었다.

문제는 만날 장소를 정하는 것이었다. 메일을 주고받기 시작한 4월 초에 그는 홍콩에 있었지만, 곧 타이완으로 옮겨 갈 예정이었다. 이미 '범죄인 인도법' 개정은 홍콩에서 큰 국가 문제가 되고 있어서 이것이 가결되면 중국 측의 지시를 무시하고 홍콩에 머물고 있는 그는 강제로 중국으로 송환될 우려가 있었다. 그는 곧 이 문제의 당사자였다.

그의 회신은 타이베이로부터 도착했다. 그러나 타이완에 체류할 수 있는 비자의 유효기간이 3주밖에 남지 않아서 그는 체류 연장을 신청했다고 했다. 이것이 통하지 않을 경우 미국이나 일본으로 건너가는 것도 생각하고 있다는 메일을 받기도 했다. 홀로 중국에 반기를 든 그의 상황은 상당히 긴박해 보였다.

결국 3개월의 연장을 인정받아 일단 7월 25일까지는

타이완에 체류할 수 있게 되었다. 물론 문제는 해결된 것이 아니라 미루어졌을 뿐이지만, 적어도 체류 중에는 타이베이에서 만날 수 있게 된 것이다.

홍콩과 타이완의 미디어는 그의 동향을 조목조목 보도하고 있었다. 홍콩을 떠나기 직전, 타이완에 도착한 직후의 모습까지 기사화되었다.

"홍콩인들이 강해지기를 바랍니다. 나는 괜찮습니다. 이해해 줄 것이라 생각합니다."

홍콩을 떠날 때 이러한 메시지를 남겼다는 보도도 있었다.

그가 전달하고 싶었던 진정한 메시지는 "나는 홍콩인이 힘차게 'NO'라고 말하기를 바란다. 나는 그렇게 했는데, 당신은 할 수 없는 것인가?"가 아니었을까?

어쩐지 불안해진다. 내가 만나러 가는 사람은 이제 서점인이라기보다 운동가, 선동가가 아닐까? 동네의 당외인사라고 제멋대로 상상하고 마주한다면 곤혹에 빠지는 것은 아닐까?

그나저나 람윙케이와 타이완에서 만나는 거라면 먼저 가 봐야 할 곳이 있었다. 그가 어떤 장소에서 서점을 했는가? 코즈웨이베이서점 사건은 홍콩에 어떤 영향을 미쳤

는가? 홍콩 사람들은 그를 어떻게 생각하는가?

홍콩에 먼저 들렀다가 타이완으로 들어가는 여정으로, 서둘러 일본을 출발했다.

홍콩의 서점과 중국 비판서

홍콩에서는 코즈웨이베이서점이 있던 장소와 몇 개의 서점을 둘러보았다.

번화가 몽콕에 있는 '서언서실'序言書室은 작은 빌딩 7층에 있는 15평 정도의 서점이었다. 창가 쪽은 테이블이나 의자를 둔 카페 공간으로 되어 있고, 천장의 다운라이트와 실링팬이 좋은 포인트가 되었다. 매장 구석에 40홍콩달러(약 6천 원)로 휴대용 미니 북을 살 수 있는 뽑기 기계도 있었다. 서점에서 자체 제작한 에코백이 판매되고 있었고, 고양이도 한 마리 있었다. 젊은이를 중심으로 지지를 모으는 인기 서점이라는 것을 잘 알 수 있었다.

그런데 선반을 둘러보다 눈에 띈 것은 중국의 정치 체제를 비판적으로 논하는 책, 30주년을 맞이한 톈안먼 사태와 2014년의 우산혁명을 검증하는 책이었다. 그 책들에는 손 글씨로 쓴 긴 안내 문구도 붙어 있었다. 그 주제로 독서 모임 등도 열리는 듯했다. 공간 연출의 세련된 모습과는 대조적이라고 말하는 것은 편견이지만, 홍콩에서는 타이완과 마찬가지로 아기자기한 분위기의 서점이 정치·사회적 메시지를 담은 도서도 갖춰 놓고 있는 것은 지극히 일반적인 일이다.

계산대에 서 있던 여성 서점인은 시원시원하고 붙임성이 느껴지는 사람으로, 일본인인 내가 갑자기 말을 걸어도 전혀 당황한 기색 없이 잠시 다른 쪽에서 일하고 있던 서점 주인을 불러 주었다. 주인 리다닝은 1981년생으로 2007년에 서언서실을 열었다.

『십년일우』, 서언서실 10주년 기념집(황티엔웨이 편저, 서언서실유한공사, 2017)

2015년 코즈웨이베이서점 사건은 홍콩 출판계를 적지 않게 위축시켰다. 중국 정치에 관한 책을 다루던 서점들은 불안을 느꼈다고 말한다. 서언서실에서는 책의 입고 기록을 전부 삭제하고, 앞으로는 정치 성향이 강한 도서 자료는 보존하지 않기로 했다고 한다.

"물론 포기할 생각은 전혀 없어요. 언론의 자유를 지키는 일의 중요성을 느끼고 있고, 만약 규제가 지금보다 강해진다 하더라도 지금과 마찬가지로 각자의 입장에서 언급한 다양한 책을 판매할 생각입니다."

갑작스러운 방문이었기 때문에 짧은 시간밖에 만나지 못했고, 게다가 내가 통역을 동반하지 않아 대화를 거의 할 수 없었다. 그에게 물어보고 싶은 것, 말해 주고 싶은 주제는 그 밖에도 더 많았지만 말이다.

노스포인트에 위치한 '삼기도서'森記図書도 미리 방문하기로 했던 곳이었다. 람윙케이 씨와 메일을 주고받으면서 서점 주인과 교류가 있었던 서점으로 이름을 기억하고 있었기 때문이다. 서점은 옛 동네의 모습이 남아 있는 이발소, 의류품 가게 등이 입주한 오래된 상가빌딩 지하에 있었다. 이곳 역시 입구에서 나를 맞이해 준 것은 고양이였다. 서언서실과는 다르게 서점 안 곳곳에 여러 마리가 있었다.

수북이 쌓인 책 더미 위에 드러누워 있거나 구석에서 물을 핥고 있기도 하고, 안쪽 깊숙한 곳에 있는 바구니 안에서 아기 고양이가 자고 있었다.

직원으로 보이는 사람에게 내 이름을 전하자 잠시 뒤 점주인 천충 씨가 반갑게 맞아 주었다. 행동이 크고 표정이 밝은 건강한 여성이었다.

삼기도서는 1978년 개업했다. 당초 직원으로 일했던 그는 1985년에 운영권을 넘겨받았다. 2003년에는 바로 옆에 헌책방을 오픈해 두 곳을 합하면 매장은 30평 정도 된다. 유기묘를 적극적으로 임시보호 하거나 맡아 기르며, 특히 생후 얼마 되지 않은 새끼 고양이는 성장할 때까지 돌봐 준다고 한다.

람윙케이와는 10년 정도 알고 지내던 사이였지만, 2015년 사건 이후 소원해졌다고 한다. 예전에 전화가 도청당하는 낌새를 느낀 적이 있기 때문에 서서히 멀어졌다고 했다. 삼기도서도 서점 문밖이나 계산대 쪽에 중국을 비판적으로 기술한 책이 즐비하게 진열되어 있다.

"천충 씨가 보시기에 람윙케이 씨는 어떤 서점인인가요?"

"책을 정말 좋아하는 아저씨!"

삼기도서의 입구. 쌓인 책 위에 한가롭게 누워 있는 고양이.

그는 그렇게 대답하며 큰 소리로 웃었다.

"분야는 달라요. 저는 일본, 외국의 추리소설이나 타이완 문학을 좋아하고, 람윙케이 씨는 중국사나 세계사 책을 좋아했죠. 하지만 얼굴을 마주하면 늘 책 이야기를 했어요. 의견이 엇갈려서 논쟁이 되기도 했지만요."

예를 들면 이런 책이라며 선반에서 꺼내 온 것은 『백년풍우』라는 책이었다. 저자 리제는 중국 상하이 출신의 작가로, 주로 정치나 문화와 관련된 중국 현대사를 비판적으로 논한다고 한다.

"람윙케이 씨는 이 작가에게 주목하고 있는데요, 많이 팔리는 작가는 아니에요. 하지만 자신에게 여유가 있다면 집필 활동을 활발히 할 수 있도록 도움을 주고 싶다는 이야기를 했어요. 람윙케이 씨는 분명히 중국에 대해서 비판적입니다. 하지만 운동가라기보다는 책을 좋아하고 깊이 있는 생각을 하는 사람이라고 생각해요."

그 밖에도 람윙케이 씨가 호평했다는 책 몇 권을 더 보여 주었다. 정치나 역사책뿐만 아니라 아동서도 있었다.

"언젠가 책에 관해 이런저런 이야기를 나눌 수 있는 날이 돌아오면 좋겠네요."

그녀는 씁쓸한 웃음을 지어 보였다. 처음 만난 사람에

게 갑자기 물어도 되나 싶었지만, 두 사람이 최근에는 연락을 하지 않고 있다는 말을 들으니 이 정도는 제안해도 괜찮겠다고 생각했다.

“혹시 람윙케이 씨에게 메시지를 남겨 주시겠어요? 녹음해서 모레 만나면 들려드릴게요.”

그녀는 조금 당황한 기색이었지만, 잠시 생각하더니 흔쾌히 “오케이!” 하며 스마트폰을 들고 말하기 시작했다. 첫 번째는 잘 정리되지 않아서 다시 한 번 녹음했다. 30초 정도의 짧은 메시지였다.

이곳에서는 우연히 가게에 들른 남성 단골손님이 일본어를 조금 할 줄 알아서 중간부터 주인과의 대화를 도와

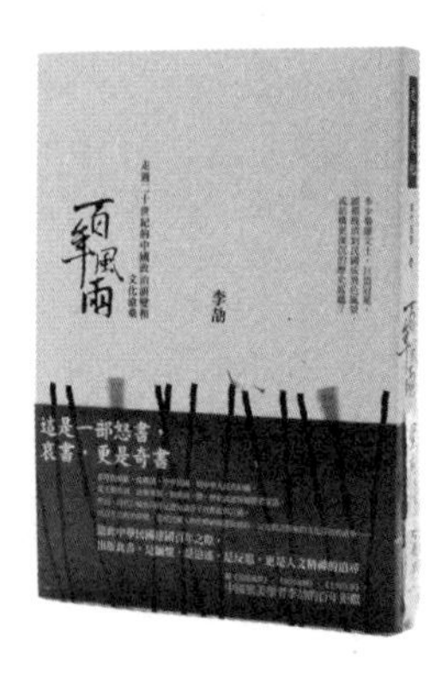

『백년풍우』(리제, 윤천문화, 2011)

주었다. 이름은 에릭이라고 하는데, 글을 쓰고 있다고 했다. 서점이 중국을 비판하는 책을 어떻게 다루는지 보고 싶어서 홍콩에 왔다는 이야기를 전하자 그가 자주 들른다는 락문서점 등을 안내해 주고, 가 보고 싶었던 전원서옥이라는 서점에도 동행해 주었다.

이러한 개인이 운영하는 작은 서점을 홍콩에서는 '이루서점'二樓書店, 즉 '2층 서점'이라고 부른다고 한다. 대개는 임대료가 비싼 1층을 피해서 2층 이상의 층을 선택한다. 비밀 장소에라도 방문하는 기분으로 좁은 계단을 오르는 것이 작은 서점의 매력 중 하나가 아닐까 싶다.

내가 방문했던 한 이루서점도 많은 손님으로 가득 차 있었다. 그리고 어느 서점이나 중국을 비판한 책을 눈에 띄는 장소에 진열하고 있었다. 넓게는 유통되지 않는 과격한 내용의 책을 두는 서점도 있고, 비교적 무난한 책을 두는 서점도 있다. 강도는 서점마다 다른 것 같았다. 굳이 지표를 마련하자면, 1989년 톈안먼 사건과 관련해 중국의 민주화를 계속 호소하다 수감 중에 사망한 중국의 인권 운동가이자 노벨평화상 수상자인 류샤오보의 저서 또는 그와 관련된 책을 소개하는 서점은 반중국·반정부의 의지가 보다 선명함을 알 수 있다고 한다.

대형 서점 '상무인서관'商務印書館의 코즈웨이베이점과 6년쯤 전에 타이완에서 진출한 '청핀서점' 코즈웨이베이점도 들러 보았다. 이들 서점에도 중국 정부에 대해 비판적인 책은 있었다. 짧은 체류 기간 중에 느끼기로는, 점차 강해지고 있는 중국으로부터의 압력이 홍콩의 서점을 뚜렷이 분단시키고 있는 것처럼 보이지는 않았다. 현장의 풍경은 그렇게 단순한 것은 아니었다.

"내일 시위에 안 가세요?"

코즈웨이베이서점이 있던 자리에는 이틀 동안 세 번 방문했다. 관계자 다섯 명의 실종 이후 영업 중지 상태인 코즈웨이베이서점은 홍콩섬 번화가 한복판에 있었다.

서점 이름은 지역명인 '코즈웨이베이'를 그대로 붙인 것이다. 혼자 처음 방문했을 때도 헤매지 않고 찾을 수 있었다. 지하철 코즈웨이베이역 바로 앞이고, 일본에서 진출한 '소고백화점' 뒤편이라는 찾기 쉬운 위치에다 서점이 있는 건물 2층에서 도로 쪽으로 달린 '코즈웨이베이서점'이라는 커다란 파란색 간판이 눈에 띄었기 때문이다. 참고로 이곳에서 가장 가까운 서점은 소고백화점 11층에 있는 일본 도서 전문점 '홍콩 아사히야서점'이었다.

코즈웨이베이서점 역시 건물 2층에 있었다. 1층의 로드 숍은 왼쪽이 약국, 오른쪽이 속옷을 파는 가게였다. 처음에는 협소한 부지에 세워진 좁고 높은 건물들로 꽉 들어찬 듯 보였지만, 실제로는 좌우로 수십 가게가 이어진 오래된 상업 빌딩으로 되어 있다.

한 사람이 지나가기에도 버거울 정도로 좁고 어두컴컴한 계단을 오른다. 서점 입구는 쇠창살이 닫혀 있었다. 문에는 '폐점했습니다'라고 손으로 쓴 벽보가 붙어 있고, 그 주변으로 이곳을 방문한 사람들이 수많은 메모를 남겨 놓았다. "상하이 지지!(상하이는 당신들을 지지한다)", "베이징 지지!", "광저우 지지!" 등 지명 뒤에 '지지'를 붙인 것이 많았다. "일본 지지!" 게시글도 있었다. "힘내! 돌아와"와 같은 격려글도 있고, "안타깝다"라는 한탄도 있었다.

"부정적인 말은 없나요? '그것 봐라' 같은?"

이날 가이드와 통역을 도와준 에드워드에게 물었다. 그는 문에 얼굴을 대고 작은 글씨, 희미하게 사라진 글자까지 일일이 확인해 주었다. "전부 응원이나 슬퍼하는 말이네요"라는 대답이 돌아왔다.

맞은편은 '오마카세 토이'라는 가게였다. 문을 밀고

안으로 들어가 보니 이름에서 짐작한 대로 성인용품 가게였다. 매장은 10평 정도였다. 젊은 여성 직원이 초로의 남성 손님에게 분홍색의 성인용품 샘플을 몇 개 보여 주고 있었다.

"손님에게는 실례지만 잠깐 물어봐도 될까요?"

직원에게 말을 건넸다.

"건너편에서 영업하던 곳이 어떤 가게였는지 혹시 아시나요?"

"저희 가게가 들어왔을 때는 이미 닫혀 있어서 무슨 일이 일어났는지는 뉴스를 보고 알게 되었어요. 계속 관심을 갖고 있고요."

"내일 시위에는 나가시나요?"

"물론이죠. 가시죠?"

사실 이날 밤에 나는 타이완으로 이동한다. 그래서 바로 답변하지 못하자 그녀는 "어? 설마 안 가는 거예요?"라며 신기한 눈초리로 쳐다보더니 다시 남자 손님에게 다가갔다.

나는 계단을 내려와 밖으로 향했다. 10미터쯤 걸어간 곳에 잡지와 만화, 몇 가지 잡화류를 늘어놓은 노점이 있었다. 잡지는 모두 파룬궁이 발행하는 중국 비판물이었다.

중국을 기반으로 하는 종교적 성격을 띤 거대한 단체로 중국에서 반체제 단체로 분류되어 공산당과는 첨예하게 대립해 온 역사가 있다.

"잠깐만 물어봐도 될까요?"

판매하는 젊은 남자에게 말을 걸자 취재는 일절 받지 않는다며 손사래를 쳤다.

"잡지 사진은 찍어도 될까요?"라고 집요하게 묻자 얼른 찍고 가 달라며 쫓아내는 손짓을 했다.

조금 더 걸어가자 "송환 거부, 6월 9일 거리에서 만나자"라는 현수막 앞에서 젊은 여성 두 명이 전단지를 나눠주고 있었다.

"코즈웨이베이서점 사건과 람윙케이 씨에게 관심이 있어서 일본에서 왔어요."

"람윙케이 씨가 한 일은 옳다고 생각합니다. 홍콩은 중국으로부터 언론의 자유를 지켜야 합니다."

"내일 시위 참가를 호소하고 있군요?"

"네, 이번 조례가 정해지면 홍콩의 자치는 끝날지도 모릅니다. 무서운 일이죠, 멈춰야 할 것 같아서 행동하게 되었어요."

"이름은 묻지 않을게요. 나이는 어떻게 되나요?"

"19세, 대학생입니다. 15~16명이 자발적으로 그룹을 만들어 여러 장소에서 전단지를 나눠 주고 있습니다."

"사람들의 반응은 어떤가요?"

"다양해요. 어떤 장소에서는 혼난 적도 있고, 또 어떤 분은 관심을 가져 주고 자세하게 이야기를 듣고 싶다고도 하고요. 이곳 코즈웨이베이는 관광객이 많아서 선뜻 관심을 보여 주지는 않지만, 내일 시위하러 가는 사람이 부디 한 명이라도 늘었으면 좋겠어요."

그녀들로부터 멀어져 해가 뉘엿뉘엿 지는 저녁의 혼잡한 길을 걷는다. 아까 노점에서 잡지를 늘어놓고 있던 파룬궁 관계자가 현수막을 내걸고 시위 참가를 호소하고 있었다. 그 바로 옆에서 파룬궁 반대 그룹도 현수막을 꺼내고 있었다. 현재의 홍콩 입법회에서는 소수파인 민주당 의원들이 소리를 지르며 전단을 나눠 주고 있었다.

103만 명이 집결한 6월 9일의 전날 풍경이었다. 무슨 일이 일어날지 모르는 열기가 분명히 느껴졌다. 그렇게 진한 여운을 남긴 채 타이베이행 비행기를 탔다.

(위) 코즈웨이베이서점 폐점을 알리는 문구. 방문한 사람들이 메시지를 남겼다.

(아래) 지금도 간판만 덩그러니 남아 있다.

㉒

자유를 찾아 도주 중

홍콩 코즈웨이베이서점 · 람윙케이의 투쟁 (2)

장면은 처음으로 돌아간다. 홍콩을 떠난 다음 날인 6월 9일, 나는 타이베이시 시먼의 카페에서 코즈웨이베이서점 점장이었던 람윙케이, 통번역가이자 작가인 추전루이와 함께 작은 테이블에 앉아 있었다.

람윙케이 씨의 이야기는 처음부터 뒤숭숭했다. 동시간대에 홍콩에서 시작된 시위 상황을 염려하는 그에게 나는 홍콩에서 찍은 사진 몇 장을 보여 주었다.

"이 사람들은 대학생이고 코즈웨이베이서점 앞 도로에서 전단지를 나눠 주고 있었습니다."

도로에서 눈에 띄는 서점 간판 사진도 보여 주었다.

“지금도 남아 있더군요. 덕분에 금방 알 수 있었습니다”라고 말하자, 그는 왜 이 간판이 남아 있는지 아느냐고 반문했다.

사실 폐업한 상점의 간판이 계속 남아 있는 일은 일본에서도 흔한 편이다. 철거하는 데 비용이 들기도 하고 대신해 주는 사람도 없어서 그대로 남아 있었던 것이 아닐까, 마음대로 해석했다.

“간판을 남겨 두는 것은 나에게 주는 메시지인 것 같습니다.”

“무슨 말씀이시죠?”

“이 서점은 2015년 11월에 중국 공산당이 인수했어요.”

실종된 다섯 명 중 그를 포함한 네 명이 사라진 직후라고 한다.

“물론 표면적으로는 그렇게 되어 있지 않습니다. 직접적인 출자자는 천센청이라는 사람입니다. 그가 중국 공산당과 내통하고 있는데, 제 뒤로 마지막으로 실종된 리보를 설득해 승낙을 받은 것 같아요.”

나중에 확인해 보니 홍콩에서는 이 사실이 보도된 적이 있었다. 공식적으로 매수했는지는 분명치 않지만, 천셴

청이란 인물이 코즈웨이베이서점의 다섯 번째 실종자인 리보를 설득해 코즈웨이베이서점에 자금을 투자했고, 그 배후에 중국이 있는 것 같다고 적혀 있다.

그 간판은 "다시 코즈웨이베이에서 일할 수 있게 하겠다. 홍콩으로 돌아와라"라는 의미라고 람윙케이는 받아들이고 있었다.

"돌아온 후에는 중국의 스파이 노릇을 하라는 뜻입니다. 코즈웨이베이서점에는 중국에서 온 손님, 반중국을 옹호하는 사람들이 많이 옵니다. 그런데 내가 서점을 다시 열면 그런 사람들이 분명 모여들 테니까……."

2016년 6월의 기자회견 이후 람윙케이는 자신이 받았던 압력이나 모략을 낱낱이 폭로하고 있다. 중국에게는 분명 성가신 인물일 것이다.

"타이베이에서는 중국 측의 감시를 받고 있나요?"

"지금은 없다고 생각합니다. 타이베이에 와서는 미행도 붙지 않고요."

"지금은 어디에서 묵고 있나요?"

"처음에는 이곳 시먼에 있었어요. 지금은 장소를 옮겨 인권 활동을 하는 친구 집에서 신세를 지고 있고요. 홍콩에서는 그런 존재가 없었기 때문에 이곳에서는 큰 도움이 되고 있어요."

나는 재차 인터뷰 취지를 설명했다. 두 달 전 첫 번째 메일에도 썼지만, 한국이나 타이완, 일본을 포함해 동아시아 서점 몇 군데를 둘러봤고, 당신을 만나 이야기를 듣고 싶었다는 내용이었다. 이야기를 하다 한국 광주의 녹두서점 이야기가 나오자 지금의 한국도 언론의 압박이 있는지 그가 물었다.

20년 전에 정권에 비판적인 책을 다루던 서점이 체포되는 사건이 일어났는데 지금은 그런 일은 없는 것 같다고 대답하자, 그는 역시 중국 공산당이 가장 문제라면서, 그래서 코즈웨이베이서점 경영자가 아직까지도 석방되지 못한 거라고 말했다.

중화사상, 중화문화의 영향 아래에 있는 나라와 그렇지 않은 나라의 차이라고 생각한다. 한국도 유교 국가이고, 대륙의 영향은 있지만 민주화에 대한 의식은 중국보다 훨씬 앞서 있을 것이다. 홍콩도 의식은 있지만, 아무래도 중국 정부의 영향에서 벗어날 수 없다. 책으로 중국에 대항하려고 서점을 해 왔다는 그의 말에서 강한 신념이 느껴졌다.

일본인은 우회적으로 이야기를 진행하는 경향이 있

음을 의식하고 질문을 할 때 물어보고 싶은 것을 우선적으로, 솔직하게 전달하려고 신경을 쓰는 편이다. 홍콩인이나 타이완인과 대화할 때는 그렇게 접근하면 수월하다. 통역가인 추전루이가 솔직하게 이야기하라고 충고해 주었다. 그는 다수의 소설과 평론을 발표해 온 작가이자 소설을 중심으로 일본 책을 60권 이상이나 타이완어로 소개해 온 번역가이기도 하다. 그래서 누구보다 양국의 문화 차이를 잘 알고 있다.

"구속된 이유는 모기업인 출판사가 시진핑의 스캔들 책을 발행한 것과 서점이 중국 비판 책을 판매했던 것 중 어느 쪽이 더 컸다고 생각합니까?"

"출판 쪽이 크다고 생각하지만, 서점업도 눈엣가시였겠지요."

"홍콩에서는 여러 서점이 중국 비판 책을 파는데요, 코즈웨이베이서점은 무엇이 달랐을까요?"

"가게에 늘어놓고 팔 뿐 아니라 중국 대륙의 사람들에게 보내기도 했으니까요."

"언젠가 일이 터질 거라는 생각은 못 했나요?"

"예상하지 못했어요."

"지금까지 홍콩에서 이런 일은 일어나지 않았나요?"

'6430'은 톈안먼 사건(1989년 6월 4일)으로부터 30년이 지난 2019년의 키워드. 홍콩 서점에 이를 검증하는 수많은 책들이 진열되어 있다.(서언서실)

"아니요. 2013년과 2014년에도 일어났어요. 2013년에는 시진핑의 전기를 비판한 출판사 사장이 붙잡혔고, 또 다른 경우는 날조된 것인데, 2014년에 시진핑을 비판한 잡지의 대표와 편집장이 잡지를 중국에서 팔아 붙잡혔죠. 각각 6년과 5년의 징역을 받았어요. 이미 풀려났지만, 홍콩에는 다시 돌아오지 않았어요."

그리고 다음 타자로 본인들이 당했다며 의외로 가벼운 말투로 그는 말했다.

"그런데 왜 자신은 괜찮을 거라고 했나요?"

"서점 경영을 2014년에 구이민하이에게 물려주고 일개 사원이 되어 있기도 했고, 그런 리스크에 대해서는 별로 생각하지 않았어요. 사실 다섯 명이나 납치한 것은 본보기의 의미도 있었다고 생각하거든요."

이해는 되나 납득이 가지 않는 대답이었다.

"자신을 무엇이라 생각하십니까? 서점인인가요, 중국의 민주화와 홍콩의 자유를 호소하는 운동가인가요, 아니면 운동을 목적으로 한 서점인인가요?"

"나는 운동가는 아닙니다. 그냥 동네 서점인이죠. 하지만 중국인이 자유로워지길 바라는 서점인이기도 합니다."

홍콩에서는 서점에서 출판물을 발행하는 일이 드물지 않고, 그도 출판사 거류전매집단에 서점을 양도하기 전부터 그다지 활발하지는 않았지만 출판도 했었다고 한다. 동인지 등에 글을 기고하기도 했다고.

"글쓰기, 책 만들기, 책 팔기 중에서 가장 좋아했던 일은 어느 것입니까?"

"가장 좋아하는 것은 읽기네요."

삼기도서의 천충 씨를 만나고 왔는데, 당신에 대해 어떤 사람이냐고 물었더니 그냥 책을 아주 좋아하는 아저씨라고 말했다고 전하자 람윙케이 씨는 웃었다. 그러면서 "천충 씨의 생활은 괜찮은가요? 삼기도서는 본인의 건물이기 때문에 월세 걱정은 없겠지만 그래도……"라면서 말을 흐렸다. 만난 지 한 시간 반 정도밖에 되지 않았지만, 천진난만하다고 할 수 있는 미소를 종종 지어 보인다.

"담배 좀 피우고 올게요."

그가 자리에서 일어나 가게를 나갔다. 타이완도 홍콩도 지금은 모든 건물의 실내에서는 금연이다. 대신 한 걸음 밖으로 나가면 자유롭다. 금연 표시가 있긴 하지만, 실제로 많은 사람이 여기저기서 피우고 있다.

이 잠깐의 휴식을 틈타 화제를 바꿔 그의 이력을 물어

보기로 했다. 이미 몇몇 기사에 소개되어 있긴 하지만 직접 보충해 주었으면 하는 부분도 있다. 사실 내가 작성하고 싶은 것은 서점인 람윙케이의 프로필이었다.

서점인의 이력

람윙케이는 1955년 12월 16일 홍콩의 카오룽에서 태어났다. 형 두 명과 누나 한 명이 있어 4남매 중 막내다. 집안은 가난했지만 어릴 때부터 책 읽기를 좋아했다고 한다. 야간 고등학교를 졸업한 후 레스토랑, 공사 현장, 운송회사, 이발소, 양복 제조업체 등에서 일했지만 어느 것도 오래 지속하지 못했다.

처음으로 자신에게 맞는 일자리를 구한 때가 1985년이었다. 서른의 나이에 취업한 곳이 중국 자본으로 운영되는, 출판사와 유통과 서점까지 망라한 대기업 중화서국이었다. 그의 일은 자사의 책을 서점에 소개하는 영업 업무였다. 어릴 때부터 쌓아 온 독서량 덕분인지 부서에서 항상 상위 실적을 차지했다고 한다.

하지만 1989년 6월 4일 중국 베이징에서 일어난 톈안먼 사건이 그의 인생을 바꿨다. 그는 민주화를 요구하며 중국의 미래를 열려던 젊은이들을 중국 정부가 무력으로 제압한 것에 깊은 탄식을 했다. 책을 진지하게 마주하게 된 것도 이때부터였다. 그때까지는 그저 좋아서 읽을 뿐이었다고 한다.

같은 해 10월 중화서국을 퇴직한 후 몽콕의 이루서점인 전원서옥의 직원이 되었다. 결과적으로는 이것이 독립하는 계기가 된다. 2년 정도 근무하는 동안 자신이 권하고 싶은 책, 팔고 싶은 책을 구입하고 판매할 수 있는 본인만의 서점을 내기로 결심하기에 이르렀다.

코즈웨이베이서점의 개업은 1992년이었다. 홍콩에서도 유수의 번화가에서 출점하고 싶어 초기비용만으로 20만 홍콩달러(현재 화폐 가치로 약 3천만 원)를 준비했다. 모아 둔 돈이 부족해 두 명의 친구와 아내로부터 빚을 졌다. 승산도 자신감도 없이 단지 열의만으로 시작한 개업이었지만, 크게 벌지는 못해도 매출이 꾸준히 이어져 결국 빚도 갚을 수 있었다.

영업시간은 오전 11시부터 오후 11시까지다. 약 10평의 공간에 항상 2만여 권의 책과 많은 재고를 구비해 두었다. 중국의 현대사나 정치, 사상, 사회 문제를 다룬 논픽션 등을 중심으로 하고 있었는데, 인문·사회 도서 전문 서점이라기보다 인기 작가의 소설 등도 비치하는 등 거의 모든 장르를 다루었던 것 같다.

2001년에는 몽콕에 2호점을 개점했다. 우연이지만 나중에 타이완의 최대 서점으로서 두각을 나타내게 된 서점그룹의 이름을 거꾸로 한 '핀청서점'品誠書店이라는 이름이었다. 그런데 이 2호점은 대실패로 끝난다. 오픈 당초부터 예상외의 저조로 개점 비용도 회수하지 못한 채 2년 만에 폐점을 피할 수 없게 되었다. 2001년에 미국에서 일어난 '9·11 테러', 이어서 2002년경부터 중국 남부, 홍콩, 타이완 등을 강타한 SARS(중증 급성 호흡기 증후군) 유행이 겹치면서 홍콩의 소비가 급격히 얼어붙은 탓이었다.

개업 자금은 집을 담보로 빌린 은행으로부터의 빚이었기 때문에 경영난에 심한 고초를 겪던 시기였다. 코즈웨이베이서점의 경영에만 집중하게 된 2003년부터는 수익을 올리려고 안간힘을 썼다. 빚은 10년에 걸쳐서 어떻게든 갚았으나, 아내와의 관계가 점차 악화되어 불화가 끊이질 않아 집에 돌아가지 않는 날이 계속되었다. 한 달에 3만 9천 홍콩달러(약 590만 원)라는 고액의 월세에도 부담을 느끼고 있었다.

그런 시기에 중국 공산당을 비판하는 책을 많이 간행

람윙케이(코즈웨이베이서점).

하고 코즈웨이베이서점에서도 판매하고 있던 출판사 거류전매집단으로부터 서점 양도 권유를 받게 되었다. 그가 열심히 읽어 온 강경파 평론이나 논픽션보다는 자극적인 가십을 주제로 한 출판사였지만, 그는 제안을 받아들여 이 회사의 직원으로서 서점 운영을 맡았다. 2014년 9월의 일이다.

"2호점이 실패로 끝나는 등 쓰라린 경험도 했지만, 중화서국에서는 실적을 올리고 스스로 시작한 서점은 20년 이상 계속했잖아요. 경영자로서 유능했던 것은 아닐까요?"

"책을 파는 것은 좋아합니다. 특히 내용은 훌륭한데 사람들에게 잘 팔리지 않았던 책을 파는 것을 좋아했고 나름 잘했다고 생각합니다. 그래서 경영자로서는 빚은 어떻게든 갚았지만, 결국엔 다 날아갔네요.(웃음)"

삼기도서의 천충이 주목했던 리제 저자의 두 권의 책을 총 4천 권이나 팔았다고 한다. 홍콩 인구는 약 750만 명이다. 관광객이나 중국에도 팔았다고는 하지만, 놀라운 숫자다.

"잘 팔리지 않는 장르의 책을 많이 파는 요령은 뭔가요?"

"손님과의 깊은 교류에 항상 유의하고, 좋은 책은 손님에게 열심히 전달하는 것. 그러면 한 권만 사려던 손님이 세 권, 다섯 권씩 잔뜩 사 가지고 가지요. 독서가이자 애서가인 손님은 나보다 책을 더 잘 아니 그런 사람의 이야기를 경청하고, 배우고, 열심히 권하는 책을 늘려 가는 것이죠. 이것을 매일매일 쌓아 올리는 것이 중요하다고 생각합니다."

일본 서점들로부터도 같은 이야기를 듣고 왔다. 홍콩이어도, 그야말로 중국 공산당이 눈독을 들이는 서점에서도 기본은 다르지 않은 것 같다.

나는 이전에 인터넷에서 발견한 문장을 몇 개 골라 읽어 내려갔다. '홍콩 혼잣말'이라는 블로그인데, 글쓴이는 일본인이다. 홍콩을 자주 방문한 듯했으나 2010년의 글을 마지막으로 멈춰 있어 현재는 알 수 없다. 2005년 2월의 글에 "이제 10년째 이 서점에 다닌다", "근래 5~6년은 한 번 체류하는 동안 세 번 정도는 방문했다"라는 코즈웨이베이 서점에 대한 소개가 있다.

"점주는 안경 낀 마른 체구의 사람으로, 풍채가 변변치 않은 느낌의 키가 큰 아저씨다. 그저 묵묵히 일을 한다. 아르바이트생, 부인으로 보이는 여성과 이야기할 때도 서점의 정적을 깨고 싶지 않은 듯 아주 나지막한 목소리로 말한다."

"그런데 무뚝뚝하다고 해서 화내는 기색은 또 아니다. 고른 책을 말없이 계산대에 두면 아저씨도 말없이 고개를 끄덕이고 계산기를 두드리고 가격을 말한 뒤 책을 비닐봉투에 넣어 전해 준다. 그리고 '고마워요'라고 들릴 듯 말 듯한 목소리로 중얼거릴 뿐이다. 서점 문을 열면 바로 눈앞이 선반이고, 한쪽은 모두 중국의 정치 등에 관한 평론이나 읽을거리, 사회 문제를 주제로 한 화제 도서 등으로 진열되어 있다. 기분 탓인지, 이 코너는 해가 갈수록 넓어지는 느낌이다."

상당한 독서가로 보이는 이 블로거는 이곳에서 대형 서점에서는 만날 수 없는 양질의 논픽션을 많이 찾을 수 있었다고 한다. 당시의 인기 소설 『다빈치 코드』의 중국 번체자 판을 구입하기도 했다고, 서점 안은 홍콩 번화가의 소란스러움을 차단하듯 조용했고, 그런 분위기를 좋아했다고 한다.

"말을 걸어 주었으면 좋았을 텐데"라면서 람윙케이 씨는 웃어 보였다. 일본인 등 외국 손님에게는 말을 잘 걸지 않았다고 했다.

"서가를 봐 주는 것만으로도 깊은 교류의 일환이라고 생각했죠. 어떤 책에 관심이 있는 사람들이 새로운 책도 발견하길 바라는 마음으로 책 꽂는 방법에도 공을 들였습니다."

"일본도 비슷한 책을 분류해 진열하는 책방은 많습니다. 최근에는 좀 줄어든 것 같지만요."

"중국에서 온 손님과는 특히 열심히 이야기를 나누었습니다. '중국은 이대로는 안 된다', '좀 더 자유로워졌으면 좋겠다'라는 나의 이념을 전하고 싶었어요."

중국의 정치 체제를 비판적으로 평가한 책을 읽고 싶어서 중국 사람들이 서점을 찾는다. 그리고 그러한 요구에 부응함으로써 벌이를 한다. 즉 그는 중국인들에게 적극적으로 책을 파는 일로 서점의 역할을 다했다.

서점에서의 교류는 중국으로 발송되는 주문으로도 연결되었다. 시간이 지날수록 람윙케이의 스마트폰은 주문 의뢰 알람 소리가 끊이지 않았다.

홍콩에서 일어나고 있는 시위가 사상 초유의 규모로 확대되면서 텔레비전 방송국이나 신문사들이 그에게 인터뷰를 의뢰하고 있었다. 인터뷰 도중에도 미안해하며 수시로 문자에 회신을 하고 전화를 받았다. 그 자리에서 짧게

메신저를 보내거나 메모장을 열어 스케줄을 확인하고 내일 몇 시라면 가능하다고 응대하기도 했다. 홍콩의 현 상황을 전 세계에 알리기 위한 취재 의뢰는 모두 응하고 있다고 한다.

배반하면 안 되는 것

중국에 대해 비판적인 책들을 가게 안에 늘어놓기만 한다면 몰라도 중국으로 배송을 한다면 커다란 리스크가 발생한다. 그럼에도 람윙케이는 이마저 적극적으로 진행했다.

미배송으로 끝나는 일도 있었지만, 90퍼센트 이상은 손님에게 도착했다고 여기고 있다. 그는 독자적으로 쌓은 나름의 루트와 방법이 있다고 말했다.

등기 배송은 검열받기 쉬우므로 피하고, 택배나 속달로 보낸다. 단 베이징이나 상하이 등의 대도시는 어느 방법으로 보내도 세관의 체크가 까다롭기 때문에 홍콩에서 직접 배송하지 않는다. 우선은 광둥성의 광저우시와 선전시, 저장성의 원저우시나 항저우시에 있는 협력자에게 보내고, 그곳에서 다시 고객에게 보냈다. 그 밖에도 검열이 까

다로운 세관과 느슨한 세관을 조사하는 등 다양한 정보를 활용하고 있었다. 이렇게 중국으로 배송된 책이 2012년에서 2014년까지 약 3년간 5천 권가량 된다고 한다.

"중국 판매는 가게 매출의 몇 퍼센트를 차지하나요?"

"정확한 기억은 아니지만, 해마다 달라서 적게는 30퍼센트 정도일 때가 많았고, 많게는 70퍼센트 정도를 차지할 때도 있었을 겁니다."

서점을 계속 이어 가기 위해서도 빼놓을 수 없었을 것 같다. 판매 가격은 매장에서 팔 때와 마찬가지로 정가의 10퍼센트 할인 가격으로 하고, 배송비는 실비로 지불하게 했다. 홍콩에서는 대부분의 책을 정가대로 파는 대형 서점에 대항해 소규모 서점의 경우 10~30퍼센트 할인된 가격에 판매하는 곳이 많다.

"중국 당국에 들켰을 가능성은 없나요?"

"고객 정보를 관리하고 있는 컴퓨터가 누군가에게 접속되어 있는 것은 아닐까 느낀 적은 있었어요. 하지만 들켰다고 해서 무슨 일을 당하리라는 생각은 못 했어요."

카페에 들어가자마자 이야기했던 화제로 돌아가 보기로 했다.

"홍콩의 거리 상점들이 위험을 감수하면서까지 중국

으로의 판매를 오랫동안 계속한 것은 너무 허술한 것 아니냐는 이야기도 들었습니다. 중국 공산당이 한 짓은 물론 심하지만, 코즈웨이베이서점은 중국을 더 압박해 홍콩을 위축시키지 않았느냐고 말이죠."

"그런 목소리도 있겠지만, 역시 구이민하이의 출판 사업이 있었기에 중국은 움직였을 것이고, 단순히 서점일뿐이라면 여기까지는 하지 않았을 것이라고 생각합니다. 아까도 이야기했지만, 저는 이미 경영자가 아니었고 그런 위험을 그다지 상상하지 않았던 것은 분명해요."

"이쯤에서 그만둘 걸 그랬나, 혹은 이렇게 했으면 좋았을걸, 이런 후회는 없나요?"

"제가 한 일은 지금까지도 옳다고 생각하고 있습니다. 출판을 할 자유, 읽고 싶은 책을 손에 넣을 자유, 그것들은 중국 헌법에도 나와 있고, 물론 홍콩에도 있으니까요."

중국 사람들이 언론의 자유를 누렸으면 하는 신념과 판매의 기회를 놓치고 싶지 않다는 상인의 마음, 두 가지 모두가 중국으로 책을 배송하게 하는 원동력이 되었다고 생각한다. 그야말로 그는 서점인이었던 것이다.

다음 날 만난 타이완 출판사 윤신문화의 대표 랴오즈펑은 그에게 깊은 감사를 느끼고 있었다. 출판사 입장에서 이상적인 책방이 아니겠냐며 그를 칭찬했다.

"우리의 책은 타이완과 홍콩에는 유통이 되어도 중국에서는 취급이 안 됩니다. 하지만 류샤오보에 대한 책 등 코즈웨이베이서점을 통해 중국인의 손에 닿은 책이 여러 권 있습니다."

람윙케이가 구속된 것은 2015년 10월 24일, 코즈웨이베이서점 경영을 거류전매집단에 양도한 지 1년이 지났을 무렵이었다. 거류전매집단의 간부인 뤼보와 장즈핑이 10월 15일에 이미 실종되고 대표인 구이민하이도 17일에 실종되었지만, 정작 그는 전혀 모르고 있었다.

석방 후 그의 기자회견과 몇 개의 기사, 이날 직접 들은 이야기를 종합해 본다. 그는 그날 홍콩에서 광둥성 선전시로 들어가다가 선전 공안경찰에게 붙잡혀 구속됐다.

그곳에서 저장성 닝보시에 보내져 5개월간 감금을 당했다. 다음으로 광둥성 사오관시 산속 작은 마을로 옮겨져 닝보시에 있던 때보다는 훨씬 나았지만 3개월간이나 감시를 당한 채 연금되었다. 다행히 폭행은 없었으나 연일 신문을 받았다. 자신이 어떤 죄를 지었는지도 모르는 채 8개월 동안 생활의 자유를 빼앗겼다. 그 공포와 절망은 체험하지 않는 한 절대 모를 것이다.

신문을 받을 때 상대방이 반복적으로 요구해 온 것은 코즈웨이베이서점의 고객 정보였다. 2016년 6월 14일에 풀려났을 때도 그에게 검은 서류가방을 주면서 그 안에 고객 정보가 저장된 노트북을 넣어 중국으로 가지고 돌아오라고 지시했다. 앞에서도 이야기했듯이, 중국에 협력한다면 그가 점장으로 돌아가는 길이 있다는 것도 암시되었다. 나중에 알게 된 사실이지만, 2015년 12월 30일에 구속되었다 그보다 먼저 풀려났던 코즈웨이베이서점의 주주인 리보도 같은 것을 요구당했고, 그는 서점의 컴퓨터를 그들에게 넘겨주었다. 하지만 그것은 고객 정보가 들어 있지 않은 것이었다. 고객 정보가 어디에 있는지 아는 사람은 람윙케이뿐이었다.

결국 람윙케이는 지시를 따르지 않았다. 중국으로 돌아가지 않은 데다 석방되고 이틀 만인 6월 16일 홍콩에서 기자회견을 열고 무슨 일이 있었는지를 낱낱이 고발했다. 이때 대표를 제외한 다른 세 명은 이미 풀려나 있었지만, 그들은 언론의 취재에 일절 응하지 않는 것은 물론이고 람윙케이는 거짓말쟁이라고 비난하는 메시지를 보냈다. 그는 더 이상 그들을 믿을 수 없었다. 하지만 그들은 가족이 중국에 있거나, 각자의 사정이 있었으리라 마지못해 이해는 한다.

다만 그런 사정은 람윙케이도 마찬가지다. 오랫동안 별거 중으로 사실상 이혼 상태였던 아내와 두 아이 그리고 중국에서 그의 일을 돕던 애인 등 여러 사람에게 폐를 끼치고 있다. 석방된 후에는 잠시 친누나 곁으로 피신했지만, 매형이 다소 당황해하는 듯해서 불편했다.

진부한 말을 할 수밖에 없다. 그가 중국으로 돌아가지 않고 이 사건을 고발한 것은 굉장히 용기 있는 행동이었다고 생각한다. 만일 나라면 어땠을까? 그와 같은 길을 택할지도 모르겠다. 하지만 8개월이나 구속되어 심신이 피폐해진 상태에 있었다면? 역시, 직접 경험하지 않는 한 뭐라고 말할 수 없다.

그렇게 이야기하자 그는 자신은 결코 용기 있는 사람이 아니라고 말했다.

"계속 무서웠고, 지금도 가슴이 떨려요. 이전까지 나는 어떤 사태에도 냉정하게 대처하는 사람이라고 생각했지만…… 악몽을 꾸는 일이 많아졌습니다. 얼마 전에도 자다가 '누나!'라고 소리치며 잠에서 깼어요. 어린 시절의 나로 돌아갔었나 봅니다."

"중국으로 돌아가지 않고 고발하기로 결정한 것은 언

중국의 체제를 비판하다 2017년 옥중에서 병사한 노벨 평화상 수상 작가 류샤오보의 저서는 타이완, 홍콩의 서점에서 스테디셀러다.

제 어느 단계였습니까?"

"뚜렷한 시점은 없었던 것 같습니다. 오래 고민하고 고민한 끝에 아무리 생각해도 어떻게 해야 할지 몰라서 그러다 점점 마음을 굳히지 않았을까요?"라면서 그는 말을 계속 이어 갔다.

"책과 손님을 배신해서는 안 된다. 이것만은 계속 생각하고 있었어요. 누구나 자유롭게 생각을 주장할 권리가 있다는 것, 그것을 스스로 놓아서는 안 된다는 사실을 나는 책에서 배웠거든요. 책을 사 준 손님을 그들에게 절대로 팔 수 없었죠. 내게 용기가 없다 해도, 그것만은 해서는 안 될 일이었으니까요."

고객 리스트는 400~500명에 달했지만 이미 지워 버렸고, 자신의 수중에 아무것도 남겨 두지 않았다. 리스트 중에는 시의 부시장을 하고 있거나, 공안이나 공산당의 중앙선전부에 소속되어 있거나, 중국 정부 측 인물의 이름도 적지 않았다. 그들이 가장 갖고 싶었던 것은 그들의 이름이 아니었을까, 그는 짐작했다.

다음 날도 나는 시먼의 카페에서 그와 만났다. 전날 인터뷰 질문 몇 개를 확인한 것 외에는 그렇게 많은 이야기를 하지 못했다. 그는 이날도 언론의 취재 의뢰에 바쁘게 대응하는 모습이었다. 타이베이 지리를 잘 모르는 그를 대신해 추전루이 씨가 방송사 디렉터와 만나는 장소를 조정해 주었다.

전날 대화에 빠져서 잊은 것이 있었다. 삼기도서의 주인 천충 씨가 녹음해 준 메시지다. 그는 기뻐하며 들어 주었지만 그다지 감정이 흔들리는 일은 없었고, 고맙다면서 담백하게 인사하고 녹음이 담겨 있던 스마트폰을 돌려주었다.

또 하나는 일본에서 선물로 준비한 보자기다. 흔한 선물이지만, 부피가 크지 않고 가벼워서 선택한 것이었다. 그는 고맙다고 말하고는 다시 어디론가 도망가야 할 때 쓰겠다며 웃으면서 짐을 감싸는 행동을 보였다.

그렇다, 그는 현재 도망 중인 몸이다. 아직도 전망은 불투명하고 감상에 젖을 여유는 없다.

"생활비용은 충분합니까?"

갑자기 궁금해져서 물어보니 앞으로 2년 정도는 괜찮을 것 같다고 대답했다. 홍콩에는 경영자나 종업원의 급여 5퍼센트가 연금으로 강제 징수되는 제도가 있다. 서점을 그만두었을 때 그 적립금이 들어왔다고 했다.

그는 2017년, 2018년에도 타이완을 방문했다. 타이베이에서 서점을 열 계획이었던 것이다. 그의 행동에 감명을 받은 어느 독지가가 출자를 자청해 개점 시기까지 정해졌다가 중국과 비즈니스를 하고 있는 독지가 가족에게 압력이 가해지며 이야기가 무산된 경우도 있었다. 그래도 포기하지 않고 추진 중이다. 가능하면 타이완에 정착해 이곳 시먼에 서점을 낼 생각이라고 한다.

"이 근처는 중국 관광객도 많으니까요."

코즈웨이베이서점에서 하던 일을 타이베이에서도 할 생각이라고 한다.

"짜이젠!"

텔레비전 방송국 관계자와의 약속 장소로 향하는 그와 헤어지고, 얼마 후 통역을 맡아 준 추전루이 씨와 헤어져 청핀서점 매장을 어슬렁거리면서 공항으로 가기 전 남은 몇 시간을 어떻게 보낼지 한참을 망설였다. 그러다 문득 지하철을 갈아타고 신베이시의 소소서방에 가기로 했다. 독립서점이란 무엇인가를 생각하게 해 준 점주 류훙펑 씨를 만나 코즈웨이베이 사건을 어떻게 생각하는지, 람윙케이에 대해 어떻게 생각하는지 묻고 싶었다. 통역가가 동행하지 않아 심도 깊은 대화를 할 수 없다는 것을 잘 알고 있었지만, 한시라도 빨리 내가 전해 들은 이야기를 누군가와

공유하고 싶었다. 서점인은 역시 강인하다. "서점은 죽지 않아!"라고 전하고 싶었다.

'범죄인 인도법' 조례 개정에 반대하는 홍콩의 시위는 6월 9일 이후에도 계속되었다. 예상을 웃도는 반발을 심각하게 인식한 홍콩 정부는 6월 15일 '범죄인 인도법' 통과를 위한 심의를 무기한 연기한다고 발표했다. 그러나 홍콩 시민은 가만히 있지 않았다. 다음 날인 16일의 시위에는 역사상 전례가 없다고 알려진 6월 9일 시위의 두 배가 넘는 200여만 명이 집결해 개정안의 완전 철회와 캐리 람 행정장관 퇴임 등을 외쳤다.

참가자의 수는 주최 측의 발표와 경찰 발표에 큰 차이

『서점불사』(이시바시 다케후미 저, 양밍치 역, 스바오원출판, 2013)

가 있지만, 숫자보다 중요한 것은 홍콩 사람들의 위기감과 분노가 얼마나 컸는가 하는 것이다.

사실 홍콩의 상황은 오키나와의 문제와 비슷하다. 홍콩도 오키나와도 '본토'라고 불리는 존재가 있어 자국의 정부나 그 뒤에 있는 강대국과의 갈등을 안고 있다. 갑자기 불거진 문제가 아니라 전쟁과 국가 정책 때문에 그 땅에 사는 사람들이 농락당해 온 오랜 역사가 있다. 그 뿌리에는 정치적인 계산도 이념도 없다. '이제 더 이상 시키는 대로 할 수 없다', '더 이상의 억압은 받아들일 수 없다'는 외침이라고 생각한다.

나 자신도 일본이라는 나라에서 가족부터 SNS의 친구에 이르기까지 여러 공동체에 소속되어 살아간다. 언제 어떻게 조직의 논리가 폭주하고 억압받게 될지 모른다.

압력을 가하는 쪽으로 넘어갈 때도 있을 것이다. 그러나 그들의 외침은 내일의 자신의 외침이자 이미 경험해 온 외침이기도 하다. 홍콩이나 오키나와의 문제는 내 발밑까지 다가온 현실이다.

일본에 돌아와 람윙케이에게 메일로 추가 질문을 보냈다.

"'범죄인 인도법'이 개정되는 일은 당분간 없을 것이

라고 보도되고 있습니다. 타이베이에 정착해 서점을 열 계획을 변경할 가능성이 있습니까?"

그는 이렇게 답을 전했다.

"홍콩에 칼을 들이대는 상태는 변함이 없을 것 같습니다. 문제가 복잡해서 그렇게 쉽게 해결될 것 같지 않습니다. 현재로서는 계획을 바꿀 생각이 없습니다."

중화권 사람들과 스스로의 자유를 찾아 끊임없이 싸우고 있는 서점인 람윙케이의 이야기는 아직 끝나지 않았다. 결말까지는 한참 남았다.

나오는 말
여행을 마치며

서점에 대해서만 쓰다 보면, 서점만 특별하냐고, 다른 장사는 세상에 없어도 되냐는 불만 섞인 목소리가 들려온다. 당연히 맞는 말이라고 생각한다. 책방이 다른 장사보다 고상하다거나 두부 가게, 구두 가게, 꽃 가게가 없어져도 서점만은 남아야 한다는 마음은 결코 없다.

그럼에도 내가 서점에 대해서만 글을 쓰게 되는 건 어쩌다 보니 '서점인'을 만나게 되었고, 서점 이야기를 쓰는 것만으로도 벅차기 때문인 것도 있다. '서점'에 대해 쓰면서 사회와 인간의 문제를 그려 내고 싶다는 욕심도 작용하는 것 같다.

내가 서점에 대해 이야기를 쓰는 이상, 서점은 동네에 필요한 존재라는 전제에 설득력이 필요하다. 독자를 향해서가 아닌 나 스스로에게.

동아시아 서점들은 그런 나에게 또 다른 새로운 시각을 주었다.

한국, 타이완, 홍콩의 현재와 과거에 존재했던 여러 서점들은 지금의 일본 서점과 마찬가지로 책을 팔며 하루하루를 살아갔다. 다른 점이라면 이 세 나라의 서점은 항상 언론의 자유라는 문제에 직면해 있었다.

현 정치 체제를 비판한 책이 금지 도서로 여겨지는 나라의 사람들은 무척 힘든 나날을 보낸다. 높은 사람 욕을 못 해서 따분해하는 수준이 아니다. 정치 체제 때문에 사회가 무너져도 목소리를 낼 수 없는 것이다. 정부가 모두를 좋은 쪽으로 이끌어 주길 희망하지만, 기본적으로 있을 수 없는 일이다.

일본에서는 언론의 자유가 당연하게 받아들여져서 이러한 원리 원칙을 잊고 사는 것 같다. 대개 서점원들은 어떤 책은 눈에 띄는 장소에 진열하고, 또 다른 어떤 책은 선반에서 뺀다. 일본 각지를 돌아다니면서 이러한 서점원의 일에 대한 흥미로움과 동시에 무거운 사회 문제를 어떻게 전할까, 항상 고민해 왔다.

그 고민을 둘러싼 범위를 동아시아로 넓혔더니 서점과 서점원들의 중대한 역할이 일목요연해졌다. 예컨대 지금 홍콩에서는 중국의 억압에서 벗어나야 한다고 사람들이 거리로 나와 외치고, 자살을 하는 사람까지 나오고 있다. 그런 상황에서 서점의 역할도 중요해진다. 어쩌면 어떤 책을 앞에 두고, 어떤 책을 뒤로 내리자는 서점원의 판단은 홍콩의 미래와 크게 연관되어 있는지도 모른다.

어느 나라든 근본적으로는 같지 않을까? 서점은 사람들을 자유롭게 해 주는 장소다. 책을 매개로 그 동네에 사는 사람들의 자유를 뒷받침한다. 언뜻 보면 풍족하고 평화로운 섬나라 일본에서도 나는 이 역할을 담당하는 서점인 여러 명을 만나 왔다.

이 책은 2016년 11월부터 2018년 3월까지 도쿄『주니치신문』석간에 연재한 '책방이 아시아를 잇는다'本屋がアジアをつなぐ를 엮은 책이다. 코즈웨이베이서점의 람윙케이 씨와 주변 사람들을 취재한 장만 새로 쓴 내용이다.

연재를 시작할 무렵 잠시 담당을 맡았던『주니치신문』의 나카무라 요코 씨, 그 후 나카무라 씨로부터 인계받아 연재를 마칠 때까지 원고와 함께 씨름해 주었던 고사노 케이타 씨, 특히 이 책의 출판사 고로컬러의 기세 다카요시 씨는 연재할 때마다 매회 감상이나 조언을 해 주었다. 사실 연재를 마치면서 동시에 단행본 작업에 들어갈 예정이었다가 여러 사정으로 잊고 있었는데, 다시 책으로 만들어 보지 않겠냐고 권해 주었기에 이 책이 출간될 수 있었다. 아시아에 대한 식견과 문장 표현을 도와주기도 했고, 무엇보다 람윙케이 씨와의 만남은 그의 조력이 아니었으면 실현되지 않았을지도 모른다.

더불어 일본을 포함한 각국의 서점을 비롯해 함께해 주신 모든 분께 깊은 감사를 전하고 싶다. 각지에서 가이드와 통역을 맡아 준 분들에게는 온 마음으로 감사의 말을 전하고 싶다. 해외 취재에서는 사실 그들과의 교류가 가장 기억에 남는다. 본문에서 언급하기는 했지만, 홍콩의 '서언서실'에서도, 타이베이의 '소소서방'에서도 말이 통하지 않아 허둥대는 나를 보다 못해 일본어를 조금 할 줄 안다며 선뜻 도와준 사람들이 있었다. 같은 경험을 어느 나라에서나 한 번쯤은 했던 것 같다. 그 밖에도 통역사를 소개해 준 사람, 메일을 번역해 준 사람 등 많은 사람의 선의로 이 책은 완성되었다.

지금 이 책을 마무리하면서 통감하는 것은 공부 부족이다. 정부끼리 아무리 옥신각신해도 일본을 포함한 아시아 각국의 거리는 앞으로 점점 가까워질 것이리라. 내가 모르는 깊은 사정과 정세를 이해할 수 있도록, 언젠가 누군가에게 힘이 될 수 있도록 조금씩 배워 나가고 싶다.

옮긴이의 말
성실한 사명감으로 책과 사람을 잇다

서점은 왜 계속 생길까? 서점에 다니는 것을 좋아하든 그렇지 않든 한 번쯤 궁금해할 만한 질문이다.

이웃 나라 일본, 대만, 홍콩뿐 아니라 우리나라도 전국 곳곳에 서점이 계속 늘어나고 있다. 특히 동네책방이라 불리는 개성 있는 소규모 서점이 서울에만 해도 수백여 개에 이른다니 조금 과장하면 거의 동네마트 수준이다.

책만 팔아서 수익 구조를 남기기 어려운 현실이 익히 알려져 있음에도 후미진 골목골목마다 작은 서점이 하나 둘 생기고 동네 사람들과 함께 묵묵히 그 자리를 지키고 있다. 1년에 책 한 권 읽지 않는 시대에 동네책방이 생겨나는 것도 신기한데 버티고 있는 것도 신기할 따름이다.

그렇다면 왜 하필 서점일까? 사람들은 왜 동네책방으로 모이는 것일까?

인터넷의 영향으로 스마트폰 하나에 모든 기능이 통합되어 스마트폰 중독자가 넘치는 디지털 시대가 되었다.

그런데 어째서 다른 기기도 아닌 스마트폰에 모든 기능이 통합된 것일까, 그 이유를 곰곰 생각해 보면 무엇보다 의사소통이 중요해서가 아닐까 싶다. 바꿔 말하면 디지털 시대에 스마트폰이 모든 기능을 대신하듯이 아날로그 시대에는 의사소통을 담당했던 서점이 모든 기능을 대신하는 것이다. 따라서 사람들은 식당도 마트도 아닌 서점으로 다양한 사람들과 의사소통을 하려고 모이는 것이 아닐까. 특히 동네책방은 동네 사람들이 함께 공간을 만들어 내므로 대형서점에서는 느낄 수 없는 정겨운 매력까지 더해진다. 특별한 아지트가 될 수밖에 없는 이유이다.

이 책은 동네책방을 운영하는 서점인, 그들을 둘러싼 사람들의 이야기이지만 동아시아의 급변하는 역사 속에서 정치적, 사회적 메시지를 전파하는 역할을 맡아 온 각 나라의 서점인의 생생한 목소리를 담았기에 중요한 의미를 지닌다. 저자가 취재한 동아시아의 서점인들이야말로 아날로그 시대에 의사소통을 담당했던 서점의 발자취를 고스란히 전달하는 산 증인이다.

24시간 열어 두고 갈 곳 없는 사람들의 쉼터가 되어

주는 서점, 책 한 권을 사서 읽는 소중함을 일깨워 주는 서점, 국가 간의 가교 역할을 하는 서점, 지역 문화와 특산물을 알리는 서점, 대범한 소신으로 혐오 책을 소개하는 서점, 민중의 상징이 된 서점, 민주화를 위해 싸웠던 서점, 그리고 홍콩의 시위의 주축이 되는 서점 등. 저자는 '서점이란 무엇인가'를 생각할 때 이 서점들을 떠올릴 것이라고 말한다.

여러 악조건 속에서도 저마다의 이유와 방법으로 많은 사람들에게 오랫동안 지지를 받으며 책방을 지켜 낼 수 있는 이유는 서점인들의 성실한 사명감 때문이 아닐까 싶다. 성실한 사명감으로 책과 사람을 잇는 서점인들이 존재하는 한, 비록 가까운 미래에 서점이 줄어들지라도 새로운 대안을 찾고 성실하게 책의 미래를 만들어 가는 서점인들은 줄어들지 않을 것이라는 확신이 든다.

이 책을 옮기면서 참고 도서를 조사하고 찾다보니 흥미로운 문헌들을 알게 되어 번역가이자 서점지기로서 두루두루 도움이 되었다. 서점인을 향한 저자의 응원 메시지가 마치 나를 위한 메시지처럼 들려서 옮기는 내내 용기를 얻었고 서점인들의 고군분투하는 모습이 내내 머릿속에 떠나지 않아 먹먹하기도 했다. 이제 겨우 3년차를 맞이한 새내기 서점인인 내가 감히 넘볼 수 없는 사명감을 넘어선 투지와도 같은 열정에 존경심과 숙연함마저 느꼈다.

성실한 사명감으로 책과 사람을 잇는 세상의 수많은 서점인들처럼 나 역시 내일도 모레도 책방을 지켜 나가야겠다는 다짐을 하게 된다. 동시에 우리의 삶에 책방이 반드시 필요하다면 그 이유는 무엇일까에 대해 묻고 또 묻는 저자의 책방 이야기가 앞으로도 계속 이어지기를 진심으로 기대해 본다.

이 시대 서점인들이 진심으로 책을 대하는 마음이 모쪼록 많은 분들에게 가닿기를 바란다. 나아가 많은 사람들이 책과 단숨에 친해지지 않더라도 가까운 동네책방을 통해 책과의 거리가 조금씩 좁혀지기를.

2021년 초여름
번역가의 서재에서
박선형

주요 서적 및 참고문헌

⑤

『노 헤이트! 출판 관계자의 책임론을 생각하다』
NOヘイト!出版の製造者責任を考える, 가토 나오키加藤直樹 외, 고로컬러ころから, 2014

『대혐한시대』大嫌韓時代, 사쿠라이 마코토桜井誠, 세린도青林堂, 2014

『외침의 도시』叫びの都市, 하라구치 츠요시原口剛, 라쿠호쿠 출판洛北出版, 2016

『혐오 표현은 왜 재일조선인을 겨냥하는가』日本型ヘイトスピーチとは何か, 량영성 저, 카게쇼보影書房, 2016

『지금이야말로 한국에 사죄하라, 그리고 안녕이라고 말하자』
今こそ韓国に謝ろうそして, さらばと言おう, 햐쿠타 나오키百田尚樹, 아스카신샤飛鳥新社, 2019

『일본국기』日本国紀, 햐쿠타 나오키百田尚樹, 겐토샤幻冬舎, 2018

『서점과 민주주의 언론의 투기장을 위해』書店と民主主義言論のアリーナのために, 후쿠시마 아키라福島聡, 진분쇼인人文書院, 2016

『잘 가, 혐오 책! 혐한 반중 책 붐의 전망』さらば, ヘイト本! 嫌韓反中本ブームの裏側, 오이즈미 미츠나리大泉實成 외, 고로컬러, 2015

⑧ ~ ⑪
『루쉰이 사랑한 우치야마서점』魯迅の愛した内山書店, 혼조 유타가本庄豊, 가모가와출판かもがわ出版, 2014
『상하이사: 거대도시 형성과 사람들의 영위』上海史: 巨大都市の形成と人々の営み, 다카하시 고스케 외高橋孝助 ほか, 도호서점東方書店, 1995
『송해, 오해: 상하이 생활 35년』そんへえ・おおへえ: 上海生活三十五年, 우치야마 간조内山完造, 이와나미 서점岩波書店, 1949
『팔구육사: 톈안먼 사건은 다시 일어날까』八九六四:「天安門事件」は再び起きるか, 야스다미네토시安田峰俊, 가도카와서점角川書店, 2018
『평균유전: 중국의 과거와 현재』平均有銭: 中国の今昔, 우치야마 간조, 도분칸同文館, 1955
『같은 핏줄의 친구여』同じ血の流れの友よ, 우치야마 간조, 중국문화협회中国文化協会, 1948
『루쉰의 추억』魯迅の思い出, 우치야마 간조, 샤카이시소샤社会思想社, 1979
『상하이 만어』上海漫語, 우치야마 간조, 가이조샤改造社, 1941
『상하이 문』シャンハイムーン, 이노우에 히사시井上ひさし, 슈에이샤集英社, 1991
『상하이 야화』上海夜話, 우치야마 간조, 가이조샤, 1940
『상하이 풍화』上海風話, 우치야마 간조, 대일본웅변회강담사大日本雄弁会講談社, 1942
『시나의 삶의 모습』生ける支那の姿, 우치야마 간조, 가쿠게이쇼인学芸書院, 1936

『양변도』両辺倒, 우치야마 간조, 건원사乾元社, 1953 ※최신판은 서사심수書肆心水에서 2011년에 출간됨.
『우치야마 간조전: 일·중 우호를 위해 일생을 바친 위대한 서민』 内山完造伝: 日中友好につくした偉大な庶民, 오자와 마사모토小澤正元, 방초쇼보番町書房, 1972
『전설의 일·중 문화 살롱: 상하이 우치야마서점』伝説の日中文化サロン: 上海・内山書店, 오타 나오키太田尚樹, 헤이본샤신쇼平凡社新書, 2008
『중국인의 생활풍경』中国人の生活風景, 우치야마 간조, 도호서점東方書店, 1979
『중국 40년』中国四十年, 우치야마 간조, 하네다 서점羽田書店, 1949
『화갑록』花甲録, 우치야마 간조, 이와나미문고岩波文庫, 1960

⑫

『동양적인 견해』東洋的な見方, 스즈키 다이세츠鈴木大拙, 이와나미문고, 1997

⑬

『덕후라고 불려도』御宅と呼ばれても, 단 야쿠추段躍中, 니혼교호샤僑報社, 2014

⑭

『오키나와에서 헌책방을 열었습니다』那覇の市場で古本屋, 우다

도모코宇田智子, 보더 잉크ボーダーインク, 2013
『책방이 되고 싶다』本屋になりたい, 우다 도모코, 치쿠마쇼보筑摩書房, 2015
『시장의 말, 책의 소리』市場のことば, 本の声, 우다 도모코, 쇼분샤晶文社, 2018
『오키나와여, 어디로』沖縄よ何處へ, 이하 후유伊波普猷, 세카이샤世界社, 1976년 ※1928년 출간된 『오키나와는 어디로』沖縄は何處へ의 복각판
『쉽게 정리한 오키나와의 역사』やさしくまとめた沖縄の歴史, 닛타 주세이新田重清 외, 오키나와 분카샤沖縄文化社, 1994
『나의 오키나와 '복귀 후'사』ぼくの沖縄'復帰後'史, 신죠 카즈히로新城和博, 보더 잉크ボーダーインク, 2014 ※2018년에 개정판 『나의 오키나와 '복귀 후'사 플러스』ぼくの沖縄'復帰後'史プラス 출간.
『남쪽 섬의 희서를 찾아 오키나와 고서점 순례』南島の希書を求めて沖縄古書店めぐり, 사토 젠고로佐藤善五郎 외, 네모토쇼보根元書房, 1984
『휴식의 에너지』休息のエネルギー, 오시로 타츠히로大城立裕, 농산어촌문화협회農山漁村文化協会, 1987

⑯

『한가운데의 아이들』真ん中の子どもたち, 온유주温又柔, 슈에이샤集英社, 2017
『아침, 상하이에 서서』朝, 上海に立ちつくす, 오시로 다츠히로大城立裕, 추오코론샤中央公論社 1983 ※문고판은 1988년, 추코문고中公文庫
『오천 번의 생사』五千回の生死, 미야모토 히카루宮本輝, 신초문고新潮文庫,

1987 ※1990년에 신초문고

⑰

『식민지 시대의 헌책방들』植民地時代の古本屋たち, 오키타 신에츠沖田信悦, 주로샤寿郎社, 2008

『책의 미래를 찾는 여행 서울』本の未来を探す旅 ソウル(우치누마 신타로内沼晋太郎, 아야메 요시노부綾女欣伸, 아사히출판사朝日出版社, 2017)

『서점본사』書店本事(곽이칭郭怡青 지음, 코지마 아츠코島あつ子 옮김, 사우전북스サウザンブックス, 2019)

⑱ ~ ⑳

『소년이 온다』, 한강 지음, 이데 슌사쿠井出俊作 옮김, 쿠온, 2016

『현대의 휴머니즘』現代のヒューマニズム, 무타이 리사쿠務台理作, 이와나미신쇼岩波新書, 1961

『5·18민주화운동』5·18民主化運動, 2015년 5·18민주화운동 기록관 ※비매품

『신판 전 기록 광주 봉기: 80년 5월 학살과 민중 투쟁의 10일간』新版全記録 光州蜂起: 80年5月 虐殺と民衆闘争の10日間, 전남사회운동협의회 외, 츠게쇼보신샤柘植書房新社, 2018

『한국으로부터의 통신의 시대』韓国からの通信の時代, 지명관池明観, 카게쇼보影書房, 2017

『비점 서울 온·더 스트리트』沸点 ソウル オン・ザ・ストリート, 최기석 지음,

가토 나오키加藤直樹 옮김, 고로컬러, 2016

㉑ ~ ㉒

코즈웨이베이서점 사건, 람윙케이 씨의 프로필, '범죄인 인도법' 개정을 반대하는 홍콩 시위에 대해서는 아래의 기사를 비롯한 웹 매체 기사, 신문 기사를 참고 자료로 삼았다.

닛케이 비즈니스 온라인日経ビジネス オンライン, 『홍콩 코즈웨이베이서점 '실종 사건'의 암담함』香港銅羅湾書店'失踪事件'の暗澹, 후쿠시마카오리福島香織, 2016년 1월 13일

닛케이 비즈니스 온라인日経ビジネス オンライン, 『코즈웨이베이서점 사건, 'NO를 외치는 홍콩인'의 고발』銅羅湾書店事件, 'ノーと言える香港人'の告発, 후쿠시마 카오리福島香織, 2016년 6월 22일

동양 경제 온라인東洋経済オンライン, 『서점 주인 '평범한 홍콩인'이 말하는 자유의 무게』書店店長の'平凡な香港人'が語る自由の重み, 진언연陳彦延 외, 2017년 3월 23일

블로고스BLOGOS, 『범죄인 인도법 개정이 일으킨 충격과 분노」 逃亡犯条例改訂が巻き起こした衝撃と市民の怒り, 후루마이 요시코ふるまいよしこ, 2019년 6월 15일

현대 비즈니스現代ビジネス, 『200만 명 홍콩 시위, 시민의 분노에 불을 붙인 엘리트 관료의 오만』200万人香港デモ, 市民の怒りに火をつけたエリート官僚の傲慢, 후루마이 요시코ふるまいよしこ, 2019년 6월 19일

서점은 왜 계속 생길까
: 책방의 존재 이유를 찾아 떠나는 여행

2021년 7월 14일 초판 1쇄 발행

지은이 이시바시 다케후미
옮긴이 박선형

펴낸이 조성웅
펴낸곳 도서출판 유유
등록 제406 - 2010 - 000032호 (2010년 4월 2일)
주소 서울시 마포구 동교로15길 30, 3층 (우편번호 04003)

전화 02 - 3144 - 6869
팩스 0303 - 3444 - 4645
홈페이지 uupress.co.kr
전자우편 uupress@gmail.com
페이스북 facebook.com/uupress
트위터 twitter.com/uu_press
인스타그램 instagram.com/uupress

편집 김은우, 김진희
디자인 이기준
마케팅 송세영

제작 제이오
인쇄 (주)민언프린텍
제책 (주)정문바인텍
물류 책과일터

ISBN 979 - 11 - 6770 - 000 - 1 03830

사람과 책을 잇는 여행

어느 경계인의 책방 답사로 중국 읽기

박현숙 지음

지금 중국은 바야흐로 '서점의 시대'. 천편일률적인 국영 서점 대신 저마다의 개성을 지닌 서점이 하나둘 문을 열더니 이제는 중국 전역에 특색 있는 서점이 생겨나고 있다. 『사람과 책을 잇는 여행』은 서점의 시대가 된 중국에서 오랫동안 품어 왔던 자신의 열망과 소망을 이루고자 서점을 연 사람과 서점의 이야기를 담은 책이다. 오마이뉴스, 한겨레21, MBC라디오 등 다양한 매체의 중국 통신원으로 활약하며 새로운 시선으로 지금의 중국을 읽고 전하는 저자 박현숙이 중국 서점으로 다른 사람을 만나고 다른 세계를 읽어 낸다.

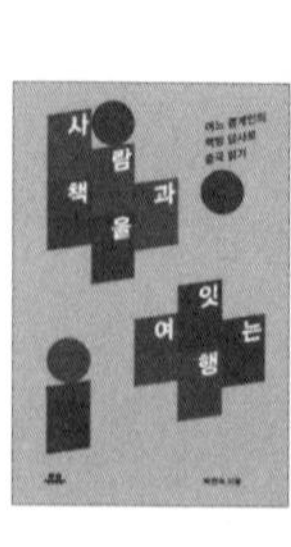

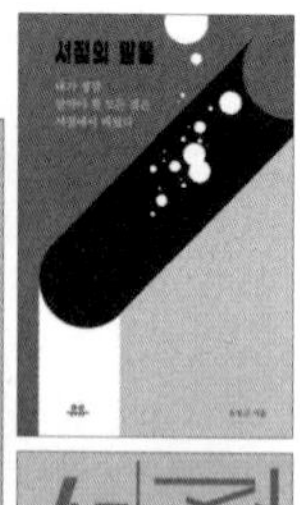

서점의 말들

내가 정말 알아야 할 모든 것은 서점에서 배웠다

윤성근 지음

오랜 시간 서점을 드나들며 그 안에서 오가는 말과 글, 사람들의 생각, 책방의 일상을 수집하고 기록해 온 서점 단골이자 믿음직한 서점 일꾼이 지금보다 더 많은 사람들이 서점의 진가를 알고 과거 자신이 그랬던 것처럼 서점을 더 깊이 경험하기 원하며 써내려간 서점의 이야기.

서점의 일생

책 파는 일의 기쁨과 슬픔, 즐거움과 괴로움에 관하여

야마시타 겐지 지음, 김승복 옮김

일본의 책방지기인 야마시타 겐지가 담백하게 털어놓는 독립서점에 관한 이야기. 한국에서 책방을 꾸리는 이들이 정서적으로 공감하고 현실적으로 도움을 받을 만한 내용이 담긴 책이다. 실제 책방을 꾸리는 사람들이 모두 겪는 실패담, 지질한 이야기를 담았다. 책방 운영의 노하우뿐 아니라 책방에서 겪는 슬픔과 고통이 자신만의 것이 아니었음을 확인하고 더러 위로를 받기도 할 것이다. 역자 김승복 대표도 일본의 오랜 헌책방 거리 진보초에서 한국어 책을 파는 책거리를 운영하며 고군분투할 때 이 책을 읽으며 큰 위로를 받았다고 술회한다.

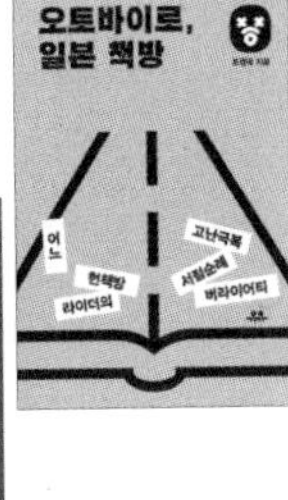

오토바이로, 일본 책방

어느 헌책방 라이더의 고난극복

서점순례 버라이어티

조경국 지음

저자 조경국은 헌책방 '소소책방'의 책방지기이다. 오랜 바람이었던 헌책방을 연 지 삼 년. 애써 버텼는데, 어느 순간 꽉 막힌다. 진주의 작은 헌책방지기로 앞으로 어떻게 지내야 할지 막막해진 것이다. 문인 기질을 지닌 책방지기 저자에게는 바람을 타고 세상을 떠돌아야만 하는 라이더의 피가 흐르고 있었다. 이런 저자는 아버님의 빨간 오토바이 연료통에 납작 엎드려 바람을 맞았던 어린 시절을 자신을 라이더로 만든 원형의 기억으로 너무나 생생하게 간직하고 있다. 우연히 읽은 신문 기사 한 자락이 본능을 깨운다. 일본 홋카이도 스나가와에 있는 이와타서점의 일만엔선서. 기사는 책방지기로 동굴에 박힌 듯 웅크리고 있던 라이더의 피가 바글바글 끓어오르게 만들 계기를 제공했다. 저자는 끓어오른 피를 거부하지 않고, 저자 자신보다 저자를 잘 아는 부인의 '윤허'를 얻어 일본으로 떠난다. 그곳에, 어떤 답이 있을지 모른다는 작은 희망을 걸고, 있는 대로 힘껏 용기를 내어 오토바이 '로시'를 타고.

시애틀의 잠 못 이루는 서점

'아마존'의 도시에서 동네 서점이 사는 법

이현주 지음

저자는 세계 최대 온라인 서점이자 쇼핑몰이 된 아마존닷컴의 본거지 시애틀의 동네 서점을 탐방한다. 시애틀 곳곳의 서점을 살펴보고 꿋꿋이 자기 자리를 지키는 작은 서점을 찾아간다. 전자우편으로 인터뷰를 요청해 서점 주인과 대화를 나누고, 서점이 어떻게 운영되는지 지금까지 어떻게 버텨 왔는지 주의 깊게 관찰한다.